第六十一回　投鼠忌器宝玉瞒赃　判冤决狱平儿行权

话说那柳家的听了这小么儿一夕话，笑道：『好猴儿崽子，你亲婶子找野老儿去了，你岂不多得一个叔叔？有什么疑的！不要讨我把你头上的杩子盖揪下来，还不开门让我进去呢！』（什么人，什么腔口，如闻其声。）小厮且不推门，且又拉着笑道：『好婶子！你这一进去，好歹偷几个杏儿出来赏我吃。我这里老等。你要忘了，日后半夜三更打酒买油的，我不给你老人家开门，也不答应你，随你干叫去。』（都是贾家的奴才，都给贾家当差。但每个人都利用自己的差事与别人做交易，以差谋私。）柳氏啐道：『发了昏的！今年还比往年？把这些东西都分给了众妈妈了。一个个的不像抓破了脸的！人打树底下一过，两眼就像那黧鸡似的，还动他的果子！（利益原则的威力。与自然经济的情面原则相悖反。）可是你舅母姨娘两三个亲戚都管着，怎不和他们要去，倒和我来要？这可是「仓老鼠问老鸹去借粮，守着的没有，飞着的倒有」！』小厮笑道：『嗳哟哟，没有罢了，说上这些闲话！我看你老人家，从今以后，就用不着我了？就是姐姐有了好地方，将来呼唤我们的日子多着呢！只要我们多答应他些就有了。』（互相利用，十分露骨。）柳氏听了笑道：『你这个小猴儿精又捣鬼了，你姐姐有什么好地方了？』那小厮笑道：『不用哄我了，早已知道了。单是你们有内奸，难道我们就没有内奸不成？我虽在这里听差，里头却也有两个姐姐，成个体统的。什么事瞒了我们！』（此话重要。所以什么事也瞒不住。信息传播是规律，大路不通便各择小道。）

正说着，只听门内又有老婆子向外叫：『小猴儿，快传你柳婶子去罢，再不来，可就误了。』柳家的听了，不顾和那小厮说话，忙推门进去，笑说：『不必忙，我来了。』一面来至厨房，虽有几个同伴的人，他们都不敢自专，单等他来调停分派，一面问众人：『五丫头那里去了？』众人都说：『才往茶房里找他们姐妹去了。』

柳家的听了，便将茯苓霜搁起，且按着房头分派菜馔。（似乎天下太平，并无任何风波。）忽见迎春房里小丫头莲花儿走来说：『司棋姐姐说：要碗鸡蛋，炖得嫩嫩的。』柳家的道：『就是这一样儿尊贵。不知怎么，今年鸡蛋短的很，十个钱一个还找不出来。（鸡蛋供不应求，『红』已有之，要不就是柳家的刁难。）昨日上头给亲戚家送粥米去，四五个买办出去，好容易才凑了二千个来，我那里找去？你说给他，改日吃罢。』莲花儿道：『前日要吃豆腐，你弄了些馊的，叫他说了我一顿；今日要鸡蛋又没有了！什么好东西？我就不信连鸡蛋都没有了，别叫我翻出来。』一面说，一面真个走来，揭起菜箱一看，只见里面果有十来个鸡蛋，（世上的事，怕就怕认真。）说道：『这不是？你就这么利害！吃的是主子分给我们的分例，你为什么心疼？又不是你下的蛋，怕人吃了。』

柳家的忙丢了手里的活计，便上来说道：『你少满嘴里混唚！你妈才下蛋呢！（如闻其声。）通共留下这几个，预备菜上的浇头，姑娘们不要，还不肯做上去呢，预备遇急儿的。你们吃了，倘或一声要起来，没有好的，连鸡蛋都没了。你们深宅大院，「水来伸手，饭来张口」，只知鸡蛋是平常物件，那里知道外头买卖的行市呢。别说这个，有一年连草棍子还没了的日子还有呢。（是经验也是预言。）我劝他们，细米白饭，每日肥鸡大鸭子，将就些儿也罢了。吃腻了肠子，天天又闹起故事来了。鸡蛋，豆腐，又是什么面筋、酱萝卜炸儿，敢自倒换口味。只是我又不是答应你们的，一处要一样，就是十来样；我倒不用伺候头层主子，只预备你们二层主子了。』

莲花儿听了，便红了脸，喊道：『谁天天要你什么来，你说上这两车子话！叫你来，不是为便宜，却为什么？

前日春燕来说，晴雯姐姐要吃芦蒿，你怎么忙得还问肉炒鸡炒？（矛盾就在这里。对晴雯和司棋摆不平。）春燕说荤的不好，才另叫你炒个面筋儿，少搁油才好，你忙得倒说自己「发昏」，赶着洗手炒了，「狗颠屁股儿」似的，亲捧了去；今日反倒拿我作筏子，说我给众人听。』

柳家的忙道：『阿弥陀佛，这些人眼见的。不要说前日一次，就从旧年以来，凡各房里，偶然间不论姑娘姐儿们，要添一样半样，谁不是先拿了钱来另买另添？（看来有标准饭、自点饭两种。后者要交一点钱。）有的没的，名声好听。算着连姑娘带姐儿们四五十人，一日也只管要两只鸡，两只鸭子，一二十斤肉，一吊钱的菜蔬。你们算算，够做什么的？连本项两顿饭还撑持不住，还搁得住这个点这样，那个点那样，买来的又不吃，又要别的去。既这样，不如回了太太，多添些分例，也像大厨房里预备老太太的饭，把天下所有的菜蔬，用水牌写了，天天转着吃，到一个月现算倒好。（当然也可以想象在贾府掌管厨房的难处。）连前日三姑娘和宝姑娘偶然商量了要吃个油盐炒豆芽儿来，现打发个姐儿拿着五百钱给我，（探春与宝钗，行事自然体面，实力不同，风度也不同。）我倒笑起来了，说：「二位姑娘就是大肚子弥勒佛，也吃不了五百钱的。这二三十个钱的事，还备得起。」赶着我送回钱去，到底不收，说赏我打酒吃，又说：「如今厨房在里头，保不住屋里的人不去叨登。一盐一酱，那不是钱买的？你不给又不好，给了你又没得赔，你拿着这个钱，权当还了他们素日叨登的东西窝儿。」这就是明白体下的姑娘，我们心里，只替他念佛。（但柳家的愈这样说，司棋就愈发火了。这里提出一个『体下』的原则，值得一想。中国封建社会虽然专制，但还有些类似『体下』『护民』的说法，有利平衡。）没得赵姨奶奶听了，又气不忿，反说太便宜了我，隔不了十天，也打发个小丫头子来寻这样，寻那样，我倒好笑起来。你们竟成了例，不是这个，就是那个，我那里有这些赔的？』

正乱时，只见司棋又打发人来催莲花儿，说他：『死在这里？怎么就不回去？』莲花儿赌气回来，便添了一篇话，告诉了司棋。司棋听了，不免心头起火，此刻伺候迎春饭罢，带了小丫头们走来，见了许多人正吃饭，见他来得势头不好，都忙起身陪笑让坐。司棋便喝命小丫头子动手：『凡箱柜所有的菜蔬，只管扔出去喂狗，大家赚不成！』（生活培养恶人。打砸抢既是『造反有理』又是源远流长。）小丫头子们巴不得一声，七手八脚抢上去，一顿乱翻乱掷，慌的众人一面拉劝，一面央告司棋说：『姑娘别误听了小孩子的话，柳嫂子有八个头，也不敢得罪姑娘。说鸡蛋难买是真。我们才也说他不知好歹，凭是什么东西，也少不得变法儿去。他已经悟过来了，连忙蒸上了。姑娘不信，瞧那火上。』司棋被众人一顿好言语，方将气劝得渐平了。小丫头子们也没得摔完东西，便拉开了。司棋连说带骂，闹了一回，方被众人劝去。柳家的只好摔碗丢盘，自己咕唧了一回，蒸了一碗鸡蛋，令人送去。（只剩了自己咕唧的分儿了。）司棋全泼了地下。（小姐脾气丫环命。）那人回来，也不敢说，恐又生事。

鸡蛋风波说明：一、厨房里确有艰窘的一面。二、柳家的『看人下菜碟』，对不得烟抽的迎春小山头轻视冷落。三、太不平衡了就会遭到激烈的反抗，反抗愈激烈她就愈抵挡不住。四、进行激烈反抗的司棋也不可能全胜，而是留下隐患，付出了代价。

柳家的打发他女儿喝了一回汤，吃了半碗粥，又将茯苓霜一节说了。五儿听罢，便心下要分些赠芳官，（『小人』得志，横向串联，拉扯弥宽，自找麻烦。）遂用纸另包了一半，趁黄昏人稀之时，自己花遮柳隐的来找芳官。（鬼鬼祟祟，不是贼也成贼。）且喜无人盘问，一径到了怡红院门首，不好进去，只在一簇玫瑰花前站立，远远的望着。有一盏茶时候，可巧春燕出来，忙上前叫住。春燕不知是那一个，到跟前方看真切，因问：『做什么？』五儿笑道：『你叫出芳官来，我和他说话。』春燕悄笑道：『姐姐太性急了。横竖等十来日就来了，只管找他做什么？方才使了他往前头去了，你且等他一等。不然，有什么话告诉我，等我告诉他，恐怕你等不得，只怕关了园门。』（也正常，也可怜。这也是『权力经济』的后果，如果『市场经济』，会少一些猫儿腻。）五儿便将茯苓霜递与春燕，又说：『这是茯苓霜。』如何吃，如何补益，『我得了些送他的，转烦你递与他就是了。』说毕，便走回来。

正走蓼溆一带，忽迎见林之孝家的带着几个婆子走来，五儿藏躲不及，只得上来问好。（何苦这样做贼？五儿兴奋过度，抑制不住自己了。）林家的问道：『我听见你病了，怎么跑到这里来？』五儿陪笑说道：『因这两日好些，跟我妈进来散散闷。才因我妈使我到怡红院送家伙去。』林之孝家的说道：『这话岔了。方才我见你妈出去，我才关门。既是你妈使了你去，他如何不告诉我说你在这里呢，竟出去让我关门，是何主意？可见你撒谎。』五儿听了，没话回答，只说：『原是我妈一早教我去取的，我忘了，挨到这时，我才想起来了。只怕我妈错认我先去了，所以没和大娘说得。』

（一波未平，一波又起。狗扯羊肠子，没结没完。所有关节都带有偶然性，但发生这些问题并非偶然：赵姨娘、贾环（拉扯上彩云）与主流派的矛盾并非偶然，柳氏母女与其他奴才的重重矛盾并非偶然，物资管理漏洞很多（也是吃大锅饭的结果）不是偶然，纪律松弛或时紧时松也不是偶然，人员众多，管理力量薄弱也不是偶然。所以一定要出事的。）

林之孝家的听他词钝意虚，又因近日玉钏儿说那边正房内失落了东西，几个丫头对赖，没主儿，心下便起了

疑。（又是有曲折旧怨之人。）可巧小蝉莲花儿并几个媳妇子走来，见了这事，便说道：『林奶奶倒要审审他。这两日他往这里头跑得不像，鬼鬼祟祟的，不知干些什么事。』（确实五儿跑得过头了，堪一切为自己奔走者戒。）小蝉又道：『正是。昨日玉钏姐姐说：「太太耳房里的柜子开了，少了好些零碎东西。」琏二奶奶打发平姑娘和玉钏姐姐要些玫瑰露，谁知也少了一罐子，不是寻露还不知道呢！』莲花儿笑道：『这我没听见。今日我倒看见一个露瓶子。』林之孝家的正因这事没主儿，每日凤姐儿使平儿催逼他，一听此言，忙问：『在那里？』莲花儿便说：『在他们厨房里呢。』林之孝家的听了，忙命打了灯笼，带着众人来寻。五儿急得便说：『那原是宝二爷屋里的芳官给我的。』林之孝家的便说：『不管你「方官」「圆官」，现有赃证，我只呈报了，凭你主子前辩去！』（林之孝家的逻辑很有意思：是露瓶子就是赃，其他一概不管。基本思路仍是不准申辩，我说你是赃就是赃。是一种独断主义。）一面说，一面进入厨房，莲花儿带着，取出露瓶。恐还偷有别物，又细细搜了一遍，又得了一包茯苓霜，一并拿了，带了五儿来回李纨与探春。

那时李纨正因兰儿病了，不理事务，只命去见探春。探春已归房，人回进去，丫鬟们都在院内纳凉，探春在内盥沐，只有侍书回进去，半日出来说：『姑娘知道了，叫你们找平儿回二奶奶去。』林之孝家的只得领出来，到凤姐那边，先找着平儿进去回了凤姐。凤姐方才睡下，听见此事，便吩咐：『将他娘打四十板子，撵出去，永不许进二门；把五儿打四十板子，立刻交给庄子上，或卖或配人。』（草菅人『运』。）

平儿听了出来，依言吩咐了林之孝家的。五儿吓得哭哭啼啼，给平儿跪着，细诉芳官之事。平儿道：『这也不难，

等明日问了芳官，便知真假。但这茯苓霜，前日人送了来，还等老太太、太太回来看了才敢打动，这不该偷了去。』五儿见问，忙又将他舅舅送的一节说了出来。平儿听了，笑道：『这样说，你竟是个平白无辜之人，拿你来顶缸的。（幸有平儿明察。恐怕也有平儿对宝玉山头的人的关照因素。）此时天晚，奶奶才进了药歇下，不便为这点子小事去絮叨。如今且将他交给上夜的人看守一夜，等明日我回了奶奶，再作道理。』林之孝家的不敢违拗，只得带出来，交与上夜的媳妇们看守，自己便去了。

这里五儿被人软禁起来，一步不敢多走。又兼众媳妇也有劝他说：『不该做这没行止的事。』也有抱怨说：『正经更还坐不上来，又弄个贼来给我们看守，倘或眼不见寻了死，或逃走了，都是我们的不是。』（有幸灾乐祸，也有落井下石之意。）又有素日一干与柳家不睦的人，见了这般，十分趁愿，都来奚落嘲戏他。（人人皆有对立面，世上尽有感到压抑之人，因此任何人倒霉都会令人『移情』快意。）这五儿心内又气又委屈，竟无处可诉；且本来怯弱有病，这一夜思茶无茶，思水无水，思睡无衾枕，呜呜咽咽，直哭了一夜。

五儿相好一个芳官，便急于钻营，欲速不达，自取其辱。当初得到半瓶子玫瑰露，就自己用了好了，柳家的偏要拿出去做文章。得到茯苓霜后，又急着还芳官的情，一点稳重没有，小家子气。

谁知和他母女不和的那些人，巴不得一时就撵他出门去。生恐次日有变，大家先起了个清早，都悄悄的来买转平儿，送了些东西，一面又奉承他办事简断，一面又讲述他母亲素日许多不好处。（可见柳氏母女积怨太多。她们娘儿俩都热衷于攀高枝，讨嫌。）平儿一一的都应着，打发他们去了，却悄悄的来访袭人，问他可果真芳官给他玫瑰露了。

袭人便说：『露却是给了芳官，芳官转给何人，我却不知。』袭人于是又问芳官，芳官听了，唬了一跳，忙应是自己送他的。芳官便又告诉了宝玉，宝玉也慌了，说：『露虽有了，若勾起茯苓霜来，他自然也实供。若听见了是他舅舅门上得的，他舅舅又有了不是，岂不是人家的好意，反被咱们陷害了。』（出了点事，都跟着瞎忙活，实际上又不起作用。到头来都是『为他人作嫁衣裳』！）因忙和平儿计议：『露的事虽完了，然这霜也是有不是的。好姐姐，你只叫他也说是芳官给他的，就完了。』平儿笑道：『虽如此，只是他昨晚已经同人说是他舅舅给的了，如何又说你给的？况且那边所丢之霜，正没主儿，如今有赃证的白放了，又去找谁？谁还肯认？众人也未必心服。』（有诸多事上不得台盘，却又实际普遍存在。不追究就没有事，一追究都是事。这样，一方面是纪律松弛，弊病百出，一方面是严刑峻法，草菅人命。）晴雯走来，笑道：『太太那边的露，再无别人，分明是彩云偷了给环哥儿去了。你们可瞎乱说。』

平儿笑道：『谁不知这个原故，但今玉钏儿急的哭，悄悄问着他，他要应了，玉钏也罢了，大家也就混着不问了，难道我们好意兜揽这事不成？可恨彩云不但不应，他还挤玉钏儿，说他偷了去了。两个人「窝里炮」，先吵得合府皆知，我们如何装没事人，少不得要查的。殊不知告失盗的就是贼，又没赃证，怎么说他？』宝玉道：『也罢。这件事，我也应起来，就说是我要吓他们玩的，悄悄的偷了太太的来了，两件事就都完了。』（主子不想把事情搞大，偏偏下面斗个不休。）袭人道：『也倒是一件阴骘事，保全人的贼名儿。只是太太听见，又说你小孩子气，不知好歹了。』（袭人先护宝玉。）平儿笑道：『也倒是小事。如今便从赵姨娘屋里起了赃来也容易，我只怕又伤着一个好人的体面。别人都不要管，只这一个人，岂不又生气。我可怜的是他，不肯为「打老鼠伤了玉瓶」。』（又要查清清查，又要照顾要人脸面。）说着，把三个指头一伸。

袭人等听说，便知他说的是探春，大家都忙说：『可是这话，竟是我们这里应起来的为是。』平儿又笑道：『也须得把彩云和玉钏儿两个孽障叫了来，问准了他方好。不然，他们得了意，不说为这个，倒像我没有本事，问不出来；就是这里完事，他们以后越发偷的偷不管的不管了。』（该放的要放，该抓的要抓。宽严有度。）袭人等笑道：『正是，也要你留个地步。』

平儿便命一个人叫了他两个来，说道：『不用慌，贼已有了。』玉钏儿先问：『贼在那里？』平儿道：『现在二奶奶屋里呢，问他什么应什么。我心里明白，知道不是他偷的，可怜他害怕，都承认了。这里宝二爷不过意，要替他认一半。我待要说出来，但只是这做贼的，素日又是和我好的一个姐妹；窝主却是平常，里面又伤了一个好人的体面，因此为难。少不得央求宝二爷应了，大家无事。如今反要问你们两个，还是怎样：要从此以后，大家小心存体面，这便求宝二爷应了；若不然，我就回了二奶奶，不要冤屈了人。』（实戏虚做。）彩云听了，不觉红了脸，一时羞恶之心感发，便说道：『姐姐放心。也不用冤屈好人，我说了罢，伤体面，偷东西，原是赵姨奶奶央告我再三，我拿了些与环哥儿是情真。连太太在家我们还拿过，各人去送人，也是常有的。我原说嚷过两天就罢了；如今既冤屈了好人，我心也不忍。姐姐竟带了我回奶奶去，一概应了完事。』（人的素质有限，却又甚讲情义二字。）

众人听了这话，一个个都诧异他竟这样有肝胆。宝玉忙笑道：『彩云姐姐果然是个正经人。如今也不用你应，

我只说我悄悄的偷的吓你们玩，如今闹出事来，我原该承认。我只求姐姐们以后省些事，大家就好了。』彩云道：『我干的事，为什么叫你应，死活我该去受。』（这也是将心比心，人的羞恶之心毕竟尚存，何况是面对着平儿这样的『法官』。这是平儿的道德力量与分寸感的胜利。）平儿袭人忙道：『不是这样说，你一应了，未免又叨登出赵姨奶奶来，那时三姑娘听了，岂不又生气。竟不如宝二爷应了，大家无事；且除这几个人，皆不得知道，这样何等的干净！（于是一件屁事成了机密。）但只以后千万大家小心些就是了。要拿什么，好歹等太太到家；那怕连房子给了人，我们就没干系了。』彩云听了，低头想了想，方依允。

于是大家商议妥贴，平儿带了他两个并芳官来至上夜房中，叫了五儿，将茯苓霜一节也悄悄的教他说系芳官所赠，五儿感谢不尽。平儿带他们来至自己这边，已见林之孝家的带领了几个媳妇，押解着柳家的等够多时。林之孝家的又向平儿说：『今日一早押了他来，恐园里没有人伺候姑娘们饭，我暂且将秦显的女人派了去伺候姑娘们的饭呢。』（林之孝家的趁机插一腿。）平儿道：『秦显的女人是谁？我不大相熟。』林之孝家的道：『他是园里南角子上夜的，白日里没什么事，所以姑娘不大认识。高高儿的孤拐，大大的眼睛，最干净爽利的。』（最干净云云，透露了林之孝家的乘机举荐自己的友好的倾向。恰好是柳家的对立面。）玉钏儿道：『是了。姐姐，你怎么忘了？他是跟二姑娘的司棋的婶子。司棋的父亲虽是大老爷那边的人，他这叔叔却是咱们这边的。』

平儿听了，方想起来，笑道：『哦！你早说是他，我就明白了。』又笑道：『也太派急了些。如今这事，八下里水落石出了，连前日太太屋里丢的，也有了主儿，是宝玉那日过来和这两个孽障不知道要什么的，偏这两个

孽障怄他玩，说：「太太不在家，不敢拿。」宝玉便瞅着他两个不堤防时节，自己进去拿了些个什么出来。这两个孽障不知道，就吓慌了。如今宝玉听见带累了别人，方细细的告诉了我，拿出东西来我瞧，一件不差。那茯苓霜也是宝玉外头得了的，也曾赏过许多人。不独园内人有，连妈妈子们讨了出去给亲戚们吃，又转送人。袭人也曾给过芳官一流的人。他们私情，各自来往，也是常事。前日那两篓还摆在议事厅上，好好的原封没动，怎么就混赖起人来。等我回了奶奶再说。」说毕，抽身进了卧房，将此事照前言回了凤姐儿一遍。

凤姐儿道：「虽如此说，但宝玉为人，不管青红皂白，爱兜揽事情。（凤姐也是知人者。）别人再求求他去，他又搁不住人两句好话，给他个炭篓子带上，什么事他不应承。（宝玉最是好好先生。这与他吃凉不管酸的处境有关。）咱们若信了，将来若大事也如此，如何治人。还要细细的追求才是。依我的主意，把太太屋里的丫头都拿来，虽不便擅加拷打，只叫他们垫着磁瓦子跪在太阳地下，茶饭也不用给他们吃，一日不说跪一日，便是铁打的，一日也管招了。」又道：「『苍蝇不抱没缝儿的鸡蛋』，虽然这柳家的没偷，到底有些影儿，人才说他。虽不加贼刑，也革出不用。朝廷原有挂误的，到底不算委屈了他。」（冤案有理论。）平儿道：「何苦来操这心！『得放手时须放手』，什么大不了的事，乐得施恩呢。依我说，纵在这屋里操上一百分心，终久是回那边屋里去的，没的结些小人仇恨，使人含恨抱怨。（冤案会不会也有某种原因呢？这么一琢磨还真乱了套了。）况且自己又三灾八难的，好容易怀了一个哥儿，到了六七个月还掉了，焉知不是素日操劳太过，气恼伤着的。如今趁早儿见一半不见一半的，也倒罢了。」（平儿的鸽派路线补充、平衡了凤的鹰派习性。）一夕话说得凤姐儿倒笑了，道：「随你们罢！没的怄气。」平儿笑道：「这不是正经话！」说毕，转身出来，一一发放。要知端的，下回分解。

凤姐鹰派，平儿鸽派，与她们的个性有关，也与她们的不同地位有关。凤姐是大拿，是特命全权总管，她倾向于保持震慑，保持张力，宁可挂误，不可疏漏。平儿带有承上启下、亦主亦奴的性质，她要忠于主子，又要保护奴才，更要照顾平衡左右。如果她也这么强硬，她很可能『吃不了兜着走』。平儿的鸽既帮助了凤姐，为之补台，又在客观上反衬了凤姐的不得人心。她起的作用也是一分为二的。她完全没有一点为自己留地步的意图吗？未可说得太绝对了，虽然，至今看不出她对凤姐有一丝一毫的不忠。

平儿不但是鸽派，而且是中华情义文化、情面文化的继承者与践行者。『二情文化』很有人情味，平儿也很得人心，但距是非曲直必须弄清的法治文化越发远了。

第六十二回　憨湘云醉眠芍药裀　呆香菱情解石榴裙

话说平儿出来吩咐林之孝家的道：「『大事化为小事，小事化为没事』，方是兴旺之家。若是一点子小事便扬铃打鼓，乱折腾起来，不成道理。（这也是先讲大原则，先务虚，再具体化。）如今将他母女带回，照旧去当差，将秦显家的仍旧追回。再不必提此事，只是每日小心巡察要紧。」说毕，起身走了。柳家的母女忙向上磕头。林家的就带回园中，回了李纨探春，二人都说：「知道了，宁可无事，很好。」

司棋等人空兴头了一阵。（其实，即使柳家母女被逐，又能给司棋等多少便宜？到头来仍是『空兴头』罢了。）那秦显家的好容易等了这个空子钻了来，只兴头了半天。在厨房内正乱接收家伙、米粮、煤炭等物，又查出许多亏空来，说：

『粳米短了两担，长用米又多支了一个月的，炭也欠着额数。』一面又打点送林之孝的礼，悄悄的备了一篓炭，一担粳米在外边，就遣人送到林家去了；又打点送账房儿的礼；又备几样菜蔬请几位同事的人，说：『我来了，全仗你们列位扶持。自今以后，都是一家人了，我有照顾不到的，好歹大家照顾些。』

正乱着，忽有人来说：『你看完了这一顿早饭，就出去罢。柳嫂儿原无事，如今还交与他管了。』秦显家的听了，轰去了魂魄，垂头丧气，登时掩旗息鼓，卷包而去。（非常短命的一次夺权事件。令人想起一九六七年的『一月革命』。）送人之物，白白去了许多，自己倒要折变了赔补亏空。（秦显家的接权，是天上掉下了馅饼。柳家的『官复原职』，秦显家的方知天上不掉馅饼，或天上掉的馅饼是靠不住的。柳家的本不是好货，只因小说追身写她，反使读者更讨厌起秦显家的来了。）连司棋都气了个直眉瞪眼，无计挽回，只得罢了。

赵姨娘正因彩云私赠了许多东西，被玉钏儿吵出，生恐查问出来，每日捏着一把汗，偷偷的打听信儿。忽见彩云来告诉说：『都是宝玉应了，从此无事。』赵姨娘方把心放下来。谁知贾环听如此说，便起了疑心，将彩云凡私赠之物都拿了出来，照着彩云脸上摔了来，说：『你这「两面三刀」的东西！我不希罕。你不和宝玉好，他怎么肯替你应？你既有担当给了我，原该不与一个人知道；如今你既然告诉了他，我再要这个，也没趣儿。』（都是些愚而诈的下三流角色。不能说贾环疑得一点理都没有。都是这种水平，谁能比谁高去？彩云情有独钟于环，又应赵之请偷玫瑰露，也很难说怎么样。）

彩云见如此，急得赌咒发誓，至于哭了。百般解说，贾环执意不信，说：『不看你素日，我索性去告诉二嫂子，就说你偷来给我，我不敢要。你细想去罢！』说毕，摔手出去了。急的赵姨娘骂：『没造化的种子！这是怎么说！』气得彩云哭了个泪干肠断，赵姨娘百般的安慰他：『好孩子，他辜负了你的心，我横竖看得真。我收起来，过两日，他自然回转过来了。』（矛盾重重，小气上再加上小气，丑态中又添丑态。）说着，便要收东西。彩云赌气一顿卷包起来，趁人不见，来至园中，都撇在河内，顺水沉的沉漂的漂了。自己气得夜间在被内暗哭了一夜。（与气量狭小的人打交道，永远痛苦，永无幸福。）

当下又值宝玉生日已到。原来宝琴也是这日，二人相同。（奇怪，过个生日也要成双捉对。『红』中写宝琴给人以虚张声势之感。）王夫人不在家，也不曾像往年热闹，只有张道士送了四样礼，换的寄名符儿；还有几处僧尼庙的和尚姑子送了供尖儿，并寿星、纸马、疏头，并本宫星官、值年太岁、周岁换的锁儿。家中常走的男女，先日来上寿。王子腾那边，仍是一套衣服，一双鞋袜，一百寿桃，一百束上用银丝挂面。薛姨妈处减一半。其余家中尤氏仍是一双鞋袜；凤姐儿是一个宫制四面扣合荷包，里面装一个金寿星，一件波斯国的玩器。各庙中遣人去放堂舍钱。又另有宝琴之礼，不能备述。姊妹中皆随便，或有一扇的，或有一字的，或有一画的，或有一诗的，聊为应景儿而已。

局部战争硝烟四起，闹了一阵子。又该少爷小姐姑娘们享受生活，及时行乐了。

这日，宝玉清晨起来，梳洗已毕，冠带起来，至前厅院中，已有李贵等四个人在那里设下天地香烛。宝玉炷了香，行了礼，奠茶烧纸后，便至宁府中宗祠祖先堂两处行毕了礼。出至月台上，又朝上遥拜过贾母、贾政、王夫人等。一顺到尤氏上房，行过礼，坐了一回，方回荣府。（没完没了的礼。）先至薛姨妈处，再三拉着，然后又见过薛蝌，让一回，方进园来。晴雯麝月二人跟随，小丫头夹着毡子，从李氏起，一一挨着，比自己长的房中到过；复出二门，至四个奶妈家，让了一回，方进来。虽众人要行礼，也不曾受。回至房中，袭人等只都来说一声就是了；王夫人有言，不令年轻人受礼，恐折了福寿，故此皆不磕头。（折了福寿的说法不经，但很有见识。）

一时贾环贾兰来了，袭人连忙拉住，坐了一坐，便去了。宝玉笑道：『走乏了！』便歪在床上。（宝玉不拄棍了。）方吃了半盏茶，只听外头咭咭呱呱，一群丫头，笑了进来，原来是翠墨、小螺、翠缕、入画，邢岫烟的丫头篆儿，并奶子抱着巧姐儿，彩鸾、绣鸾八九个人，都抱着红毡子笑着进来，说：『拜寿的挤破了门了，快拿面来我们吃！』刚进来时，探春、湘云、宝琴、岫烟、惜春也都来了。宝玉忙迎出来，笑说：『不敢起动。快预备好茶！』进入房中，不免推让一回，大家归坐。

袭人等捧过茶来，才吃了一口，平儿也打扮得花枝招展的来了。宝玉忙迎出来，笑说：『我方才到凤姐姐门上，回进去，说不能见我；我又打发人进去让姐姐的。』平儿笑道：『我正打发你姐姐梳头，不得出来回你。后来听见又说让我，我那里禁当得起？所以特给二爷来磕头。』宝玉笑道：『我也禁当不起。』袭人早在外间安了座，让他坐。（你闹你的卑鄙无耻，我过我的生日华诞。你们是昏天黑地、蛆虫泥鳅，我这里是吃喝玩乐、受用快活。）平儿便拜下去，宝玉作揖不迭；平儿便跪下去，宝玉也忙还跪下，袭人连忙搀起来；又拜了一拜，宝玉又还了一揖。袭人笑推宝玉：『你再作揖。』宝玉道：『已经完了，怎么又作揖？』袭人笑道：『这是他来给你拜寿，今日也是他的生日，你

也该给他拜寿。』（光两个还不够，又添了第三个。过生日也扎堆。）宝玉喜得忙作揖，笑道：『原来今日也是姐姐的好日子。』平儿赶着也还了礼。湘云拉宝琴岫烟说：『你们四个人对拜寿，直拜一天才是。』探春忙问：『原来邢妹妹也是今日？我怎么就忘了。』（又一个。很难分析这里关于四人同一天生日的叙述的意图：是随机写的？是原型如此？是为了再写酒令？）忙命丫头：『去告诉二奶奶，赶着补了一分礼，与琴姑娘的一样，送到二姑娘屋里去。』丫头答应着去了。岫烟见湘云直口说出来，少不得要到各房去让让。（让一让是中国人的说法，虚说一下之意。）

探春笑道：『倒有些意思，一年十二个月，月月有几个生日。人多了，便这等巧。也有三个一日的，两个一日的。大年初一也不白过，大姐姐占了去，怨不得他福大，生日比别人就占先。又是大祖太爷的生日冥寿。过了灯节，就是老太太和宝姐姐，他们娘儿两个遇的巧。三月初一是太太的，初九是琏二哥哥。二月没人。』袭人道：『二月十二是林姑娘，怎么没人？只不是咱家的人。』（这又是哪个冷锅里冒的热气？是怕人们忘了黛玉吗？）探春笑道：『你看我这个记性儿。』宝玉笑指袭人道：『他和林妹妹是一日，他所以记得。』探春笑道：『原来你两个倒是一日？每年连头也不给我们磕一个！平儿的生日，我们也不知道，这也是才知道的。』平儿笑道：『我们是那牌儿名上的人，生日也没拜寿的福，又没受礼的职分，可吵嚷什么，可不悄悄儿的就过去了吗？今日他又偏吵出来了。等姑娘回房，我再行礼去罢。』探春笑道：『也不敢惊动。只是今日倒要替你过个生日，我心里才过得去。』宝玉湘云等一齐都说：『很是。』探春便吩咐了丫头：『去告诉他奶奶，说我们大家说了，今日一天不放平儿出去，我们也大家凑了分子过生日呢。』（平儿在女奴中应属第一名，自有殊荣。）

丫头笑着去了，半日回来说：『二奶奶说了，多谢姑娘们给他脸。不知过生日给他些什么吃，只别忘了二奶奶，就不来絮聒他了。』众人都笑了。探春因说道：『可巧今日里头厨房不预备饭，一应下面弄菜，都是外头收拾，咱们就凑了钱，叫柳家的来领了去，只在咱们里头收拾倒好。』（果然凑了钱给柳家。）众人都说：『很好。』探春一面遣人去请李纨、宝钗、黛玉，一面遣人去传柳家的进来，吩咐他内厨房中快收拾两桌酒席。柳家的不知何意，因说：『外厨房都预备了。』探春笑道：『你原来不知道，今日是平姑娘的好日子，外头预备的是上头的，这如今我们私下又凑了分子，单为平姑娘预备两桌请他。你只管拣新巧的菜蔬预备了来，开了账，我那里领钱。』柳家的笑道：『今日又是平姑娘的千秋？我们竟不知道。』说着，便向平儿磕头，（柳家的理应磕头。）慌得平儿拉起他来。柳家的忙去预备酒席。

这里探春又邀了宝玉，同到厅上去吃面，等到李纨宝钗一齐来全，又遣人去请薛姨妈与黛玉。因天气和暖，黛玉之疾渐愈，故也来了。花团锦簇，挤了一厅的人。谁知薛蝌又送了巾扇香帛四色寿礼与宝玉，宝玉于是过去陪他吃面。两家皆办了寿酒，互相酬送，彼此同领。至午间，宝玉又陪薛蝌吃了两杯酒。宝钗带了宝琴过来与薛蝌行礼，把盏毕，宝钗因嘱咐薛蝌：『家里的酒也不用送过那边去，这虚套竟收了。你只请伙计们吃罢。我们和宝兄弟进去，还要待人去呢，也不能陪你了。』薛蝌忙说：『姐姐兄弟只管请，只怕伙计们也就好来了。』

宝玉忙又告过罪，方同他姊妹回来。一进角门，宝钗便命婆子将门锁上，把钥匙要了，自己拿着。宝玉忙说：『这一道门何必关？又没多的人走，况且姨娘、姐姐、妹妹都在里头，倘或要家去取什么，岂不费事？』宝钗笑

道：『小心没过逾的。你们那边，这几日七事八事，竟没有我们那边的人，可知是这门关得有功效了。若是开着，保不住那起人图顺脚走近路，从这里走，拦谁的是？不如锁了，连妈妈和我也禁着些，大家别走。纵有了事，就赖不着这边的人了。』（独善其身，自扫门前雪。宝钗的锁门主义有理。这些话本不必说与宝玉，宝钗有套磁意。）宝玉笑道：『原来姐姐也知道我们那边近日丢了东西？』宝钗笑道：『你只知道玫瑰露和茯苓霜两件，乃因人而及物；若不是里头有人，你是连这两件还不知道呢。殊不知还有几件比这两件大的呢。（什么事？举一反多，漫延无边。留下猜测想象余地。）若以后叨蹬不出来，是大家的造化；若叨蹬出来了，不知里头连累多少人呢。你也是不管事的人，我才告诉你。平儿是个明白人，我前日也告诉了他，皆因他奶奶不在外头，所以使他明白了。若不犯出来，大家落得丢开手；若犯出来，他心里已有了稿儿，自有头绪，就冤屈不着平人了。（知之方，处之圆。知则明察秋毫，处则不见舆薪，难得精明，难得糊涂，不自恃精明，不是真糊涂，宝钗真完人也。『明白』是少数够格儿的人的专利。不够『格儿』而明白，危险！）你只听我说，以后留神小心就是了。这话也不可告诉第二个人。』

说着，来到沁芳亭边，只见袭人、香菱、侍书、晴雯、麝月、芳官、蕊官、藕官十来个人，都在那里看鱼玩呢。见他们来了，都说：『芍药栏里预备下了，快去上席罢。』宝钗等随携了他们，同到芍药栏中红香圃三间小敞厅内。连尤氏也请过来了，诸人都在那里，只没平儿。原来平儿出去，有赖林诸家送了礼来，连三接四，上中下三等家人，拜寿送礼的不少。平儿忙着打发赏钱道谢，一面又色色的回明了凤姐儿，不过留下几样；也有不受的，也有受下即刻赏与人的。（不贪，是风度也是智慧。）忙了一回，又直等凤姐儿吃过面，方换了衣裳，往园里来。刚进了园，

就有几个丫鬟来找他，一同到了红香圃中。只见筵开玳瑁，褥设芙蓉。众人都笑说：『寿星全了。』上面四座，定要让他们四个人坐。四人皆不肯。

薛姨妈说：『我老天拔地，不合你们的群儿，我倒拘的慌，不如我到厅上随便躺躺去倒好。我又吃不下什么去，又不大吃酒，这里让他们，倒便宜。』（薛姨妈也极会行事。）尤氏等执意不从。宝钗道：『这也罢了倒是让妈妈在厅上歪着自如些。有爱吃的送些过去，倒自在了。且前头没人在那里，又可照看了。』探春笑道：『既这样，恭敬不如从命。』因大家送到议事厅上，眼看着命小丫头们铺了一个锦褥并靠背引枕之类，又嘱咐：『好生给姨太太捶腿，要茶要水，别推三拉四的。回来送了东西来，姨太太吃了，赏你们吃。只别离了这里。』（这也要嘱咐。）小丫头子们都答应了。

探春等方回来。终究让宝琴岫烟二人在上，平儿面西坐，宝玉面东坐。探春又接了鸳鸯来，二人并肩对面相陪。西边一桌，宝钗、黛玉、湘云、迎春、惜春依序，一面又拉了香菱玉钏儿二人打横。三桌上尤氏李纨，又拉了袭人彩云陪坐。四桌上便是紫鹃、莺儿、晴雯、小螺、司棋等人围坐。（原来不仅是《水浒传》，《红楼梦》里也是没完没了地排座次。后人读之，殊可笑也。笑者能释然吗？能解脱自己吗？能不争座次吗？）

当下探春等还要把盏，宝琴等四人都说：『这一闹，一日也坐不成了。』方才罢了。两个女先儿，要弹词上寿。众人都说：『我们没人听那些野话，你厅上去，说给姨太太解闷儿去罢。』一面又将各色吃食拣了，命人送与薛姨妈去。宝玉便说：『雅坐无趣，须要行令才好。』（又是喝酒行令，不免烦人。）众人中有说行这个令好，又有那个说行那个令才好。黛玉道：『依我说，拿了笔砚，将各色令都写了，拈成阄儿，咱们抓出那个来就是那个。』众人都道：『妙极！』即命拿了一副笔砚花笺。香菱近日学了诗，又天天学写字，见了笔砚，便巴不得连忙起来，说：『我写。』

众人想了一回，共得十来个，念着，香菱一一写了，搓成阄儿，掷在一个瓶中。探春便命平儿拈，平儿向内搅了一搅，用箸夹了一个出来，打开一看，上写着『射覆』二字。宝钗笑道：『把个令祖宗拈出来了！射覆从古有的，如今失了传，这是后纂的，比一切的令都难。这里头倒有一半是不会的，不如毁了，另拈一个雅俗共赏的。』探春笑道：『既拈了出来，如何再毁？如今再拈一个，若是雅俗共赏的，便叫他们行去，咱们行这一个。』说着，又叫袭人拈了一个，却是『拇战』。

湘云先笑着说：『这个简断爽利，合了我的脾气。我不行这个射覆，没的垂头丧气闷人，我只猜拳去了。』探春道：『惟有他乱令，宝姐姐快罚他一钟！』宝钗不容分说，便灌了湘云一杯。探春道：『我吃一杯，我是令官，也不用宣，只听我分派。取了令骰令盆来，从琴妹妹掷起，挨着掷下去，对了点的二人射覆。』宝琴一掷，是个『三』，岫烟宝玉等皆掷的不对，直到香菱方掷了个『三』。宝琴笑道：『只好室内生春，若说到外头去，可太没头绪了。』探春道：『自然。三次不中者罚一杯。你覆他射。』

宝琴想了一想，说了个『老』字。香菱原生于这令，一时想不到，满室满席都不见有与『老』字相连的成语。湘云先听了，便也乱看，忽见门斗上贴着『红香圃』三个字，便知宝琴覆的是『吾不如老圃』的『圃』字。见香菱射不着，众人击鼓又催，便悄悄的拉香菱，教他说『药』字。（介绍传统文字游戏。）黛玉偏看见了，说：『快罚他！又在那里传递呢！』闹得众人都知道了，忙又罚了一杯。恨的湘云拿筷子敲黛玉的手。于是罚了香菱一杯。下则宝钗和探春对了点子，探春便覆了一『人』字，宝钗笑道：『这个「人」字泛得很。』探春笑道：『添一个字，两覆一射，也不泛了。』说着，便又说了一个『窗』字。宝钗一想，因见席上有鸡，便猜着他是用『鸡窗』『鸡人』二典了，因射了一个『埘』字。探春知他射着，用了『鸡栖于埘』的典，二人一笑，各饮一口门杯。（还都有点学问呢。）

湘云等不得，早和宝玉『三』『五』乱叫，猜起拳来。（猜拳场面，何等可爱。）那边尤氏和鸳鸯隔着席，也『七』『八』乱叫，搳起拳来。平儿袭人也作了一对，叮叮当当，只听得腕上镯子响。（『腕上镯子响』五字，侧面烘托，最为传神。令人神往。）一时，湘云赢了宝玉，袭人赢了平儿，二人限酒底酒面。湘云便说：『酒面要一句古文，一句旧诗，一句骨牌名，一句曲牌名，还要一句时宪书上有的话，共总成一句话。酒底要关人事的果菜名。』众人听了，都说：『惟有他的令比人唠叨，倒也有些意思。』便催宝玉快说。宝玉笑道：『谁说过这个！也等想一想儿。』黛玉便道：『你多喝一钟，我替你说。』宝玉真个喝了酒。听黛玉说道：

落霞与孤鹜齐飞，风急江天过雁哀，却是一枝折脚雁，叫得人九回肠，这是鸿雁来宾。

说得大家笑了。众人说：『这一串子倒有些意思！』黛玉又拈了一个榛瓤，说酒底道：

榛子非关隔院砧，何来万户捣衣声？

令完，鸳鸯袭人等皆说的是一句俗话，都带一个『寿』字，不须多赘。

大家轮流乱了一阵。这上面湘云又和宝琴对了手，李纨和岫烟对了点子。李纨便覆了一个『瓢』字，岫烟便射了一个『绿』字，二人会意，各饮一口。湘云的拳却输了，请酒面酒底。宝琴笑道：『请君入瓮。』大家笑起来，说：『这个典用得当。』湘云便说道：

奔腾澎湃，江间波浪兼天涌，须要铁索缆孤舟，既遇着一江风，不宜出行。（这种集句，令人想起西方新潮派的『扑克牌文学』。文学当然不仅仅是或者主要不是形式。但形式的排列组合委实迷人。迷到令人走火入魔的程度。）

说的众人都笑了，说：『好个诌断了肠子的！怪道他出这个令，故意惹人笑。』又催他：『快说酒底儿。』湘云吃了酒，夹了一块鸭肉，呷口酒，忽见碗内有半个鸭头，遂夹出来吃脑子。众人催他：『别只顾吃，你到底快说了。』湘云便用箸子举着说道：

这鸭头不是那丫头，头上那有桂花油。（虽是谐音玩笑，并无用意，却令读者过目不忘。余幼时读『红』，各种酒令都记不住，唯薛蟠的『大马猴』『往里戳』与此『桂花油』句不忘。俗能胜雅，奈何？）

众人越发笑起来，引得晴雯小螺等一干人都走过来说：『云姑娘会开心儿，拿着我们取笑儿，快罚一杯才罢！怎见得我们就该擦桂花油的？倒得每人给瓶子桂花油擦擦。』黛玉笑道：『他倒有心给你们一瓶子油，又怕挂误着打窃盗官司。』众人不理论，宝玉却明白，忙低了头。彩云心里有病，不觉的红了脸。宝钗忙暗暗的瞅了黛玉一眼。黛玉自悔失言，原是打趣宝玉的，就忘了趣了彩云了。自悔不及，忙一顿的行令猜拳岔开了。（猫儿腻愈多则愈易失言，于是培养出了木头人或总是东张西望、察言观色的心眼兜儿。）

底下宝玉可巧和宝钗对了点子，宝钗便覆了一个『宝』字，（宝钗似乎有点套近乎的意思。）宝玉想了一想，便知是宝钗作戏，指着自己的通灵玉说的，便笑道：『姐姐拿我作雅谑，我却射着了。说出来姐姐别恼，就是姐姐的讳，「钗」字就是了。』众人道：『怎么解？』宝玉道：『他说「宝」，底下自然是「玉」字了；我射「钗」字，旧诗曾有「敲断玉钗红烛冷」，岂不射着了？』湘云说道：『这用时事却使不得，两个人都该罚。』香菱道：『不止时事，这也是有出处的。』湘云道：『「宝玉」二字并无出处，不过是春联上或有之，诗书纪载并无，算不得。』香菱道：『前日我读岑嘉州五言律，现有一句，说：「此乡多宝玉」，怎么你倒忘了？后来又读李义山七言绝句，又有一句，「宝钗无日不生尘」。（香菱也这么大学问了？真是立竿见影。雪芹借香菱之口炫耀才学。）我还笑说：他两个名字都原来在唐诗上呢。』（找出处，找典故，是中国文人的一大乐趣，一大没有出息。学问大了半天，不过起个搜索扫描软件的作用。香菱如果专心治学，似也可以成为这种类型的高峰呢。）众人笑说：『这可问住了，快罚一杯！』湘云无话，只得饮了。

大家又该对点揸拳，这些人因贾母王夫人不在家，没了管束，便任意取乐，呼三喝四，喊七叫八，满厅中红飞翠舞，玉动珠摇，真是十分热闹。玩了一回，大家方起席散了。却忽然不见了湘云，只当他外头自便就来，谁知越等越没了影儿。使人各处去找，那里找得着。

（这一个光明单纯青春的镜头照出了所有的『红楼梦女子』的可怜，也照出了此后湘云自己的命运的可怜。这是『黑暗王国的一线光明』，这是如诗如梦的刹那高峰体验，这是空谷足音，这是人生本来应该过得如何自由而且快乐的转瞬即逝的『闪过』。从此，一去不复返矣！哀哉！）

接着林之孝家的同着几个老婆子来，一则恐有正事呼唤，二则恐丫鬟们年轻，趁王夫人不在家，不服探春等约束，恣意痛饮，失了体统，故来请问有事无事。探春见他们来了，便知其意，忙笑道：『你们又不放心，来查我们来了。我们并没有多吃酒，不过是大家玩笑，将酒作引子。妈妈们别耽心。』李纨尤氏也都笑说：『你们歇着去罢，我们也不敢叫他们多吃了。』林之孝家的等人笑说：『我们知道。连老太太让姑娘们吃酒，姑娘们还不肯吃呢，何况太太们不在家，自然玩罢了。我们怕有事，来打听打听。二则天长了，姑娘们玩一会子，还该点补些小食儿。素日又不大吃杂项东西，如今吃一两杯酒，若不多吃些东西，怕受伤。』探春笑道：『妈妈说的是，我们也正要吃呢。』回头命取点心来。两旁丫鬟们齐声答应了，忙去传点心。探春又笑让：『你们歇着去，或是姨妈那里说话儿去。我们即刻打发人送酒你们吃去。』林之孝家的等人笑回：『不敢领了。』又站了一回，方退了出来。平儿摸着脸笑道：『我的脸都热了，也不好意思见他们。依我说，竟收了罢，别惹他们再来，倒没意思了。』探春笑道：『不相干，横竖咱们不认真喝酒，就罢了。』（一个大家庭，彼此合作，也相互制约，相互妨碍，关系有趣。）

正说着，只见一个小丫头笑嘻嘻的走来，说：『姑娘们快瞧云姑娘，吃醉了图凉快，在山子后头一块青石板磴上睡着了。』众人听说，都笑道：『快别吵嚷。』说着，都走来看时，果见湘云卧于山石僻处一个石磴子上，业经香梦沉酣，四面芍药花飞了一身，满头脸衣襟上皆是红香散乱；手中的扇子在地下，也半被落花埋了，一群蜜蜂蝴蝶闹嚷嚷的围着；又用鲛帕包了一包芍药花瓣枕着。（一副自然之子、光明之子的形象。女孩子本来是天生光明纯美的，却封闭在那样一个外面光里面烂的环境之中，只是在醉卧之后，极其偶然地昙花般地一现自由人的光辉。这样的女孩子却要被一再茶毒下去，

（令人怎生不慨叹。）众人看了，又是爱，又是笑，忙上来推唤挽扶。湘云口内犹作睡语说酒令，嘟嘟囔囔说：『泉香酒冽，……醉扶归，宜会亲友。』众人笑推他说道：『快醒醒儿，吃饭去，这潮磴上还睡出病来呢。』湘云慢启秋波，见了众人，又低头看了一看自己，方知是醉了。原是纳凉避静的，不觉因多罚了两杯酒，娇袅不胜，便睡着了，心中反觉自愧。早有小丫头端了一盆洗脸水，两个捧着镜奁。众人等着他。便在石磴上重新匀了脸，拢了鬓，连忙起身，同着来至红香圃中。又吃了两杯浓茶，探春忙命将醒酒石拿来，给他衔在口内，一时又命他吃了些酸汤，方才觉得好了些。

当下又选了几样果菜与凤姐儿送去，凤姐儿也送了几样来。宝钗等吃过点心，大家也有坐的，也有立的，也有在外观花的，也有倚栏看鱼的，各自取便，说笑不一。探春便和宝琴下棋，宝钗岫烟观局。黛玉和宝玉在一簇花下唧唧哝哝，不知说些什么。只见林之孝家的和一群女人，带了一个媳妇进来。那媳妇愁眉泪眼，也不敢进厅来，到阶下便朝上跪下磕头。探春因一块棋受了敌，算来算去，总得了两个眼，便折了官着儿，两眼只瞅着棋盘，一只手伸在盒内只管抓棋子作想。林之孝家的站了半天。因回头要茶时，才看见，问：『什么事？』林之孝家的便指那媳妇说：『这是四姑娘屋里小丫头彩儿的娘，现是园内伺候的人。嘴很不好，才是我听见了，问着他，他说的话也不敢回姑娘，竟要撵出去才是。』（令人想起『文革』中的判决布告，犯有『恶攻罪』的人的具体『恶攻』内容，都是用『××××』表示的，而根据『××××』，甚至可判极刑。）探春道：『怎么不回大奶奶？』林之孝家的道：『方才大奶奶往厅上姨太太处去，顶头看见，我已回明白了，叫回姑娘来。』探春道：『怎么不回二奶奶？』平儿道：『不回去也罢，我回去说一声就是了。』既这么着，就撵他出去，等太太回来再回。请姑娘定夺。』探春点头，仍又下棋。这里林之孝家的带了那人出去，不提。（林之孝家的是忠臣也是鹰犬，到头来却是搬起石头砸自己的脚——见后。）

黛玉和宝玉二人站在花下，遥遥盼望。黛玉便说道：『你家三丫头倒是个乖人，虽然叫他管些事，倒也一步不肯多走。差不多的人，就早作起威福来了。』（黛玉并非不懂世态者。）宝玉道：『你不知道呢，你病着时，他干了几件事。这园子也分了人管，如今多掐一根草也不能了。又蠲了几件事，单拿我和凤姐姐做筏子。最是心里有算计的人，岂止乖呢！』黛玉道：『要这样才好。咱们也太费了。我虽不管事，心里每常闲了，替他们一算，出的多，进的少，如今若不省俭，必致后手不接。』（连黛玉都看出问题来了。宝玉还这样浑然无觉，自吃自乐。可恼！）宝玉笑道：『凭他怎么后手不接，也不短了咱们四个人的。』黛玉听了，转身就往厅上寻宝钗说笑去了。

宝玉正欲走时，只见袭人走来，手内捧着一个小连环洋漆茶盘，里面可式放着两钟新茶，因问：『他往那里去了？我见你两个半日没吃茶，巴巴的倒了两钟来，他又走了。』宝玉道：『那不是他？你给他送去。』说着，自拿了一钟。袭人便送了那钟去，偏和宝钗在一处，只得一钟茶，（只一钟茶，偏有两个人，有趣，但不可坐实。）便说：『那位喝时那位先接了，我再倒去。』宝钗笑道：『我倒不喝，只要一口漱漱就是了。』说着，先拿起来，喝了一口，剩了半杯，递在黛玉手内。袭人笑说：『我再倒去。』黛玉笑道：『你知道我这病，大夫不许多吃茶，这半钟尽够了，难为你想得到。』说毕饮干，将杯放下。袭人又来接宝玉的。宝玉因问：『这半日不见芳官，他在那里呢？』（宝玉主动关心芳官。）袭人四顾一瞧，说：『才在这里，几个人斗草玩，这会子不见了。』

宝玉听说，便忙回至房中，果见芳官面向里睡在床上。宝玉推他说道：『快别睡觉，咱们外头玩去。一会子好吃饭。』芳官道：『你们吃酒，不理我，叫我闷了半日，可不来睡觉罢了。』宝玉拉了他起来，笑道：『咱们晚上家里再吃，回来我叫袭人姐姐带了你桌上吃饭，何如？』芳官道：『藕官蕊官都不上去，单我在那里，也不好。我也不惯吃那个面条子，早起也没好生吃，才刚饿了，我已告诉了柳婶子，先给我做一碗汤，盛半碗粳米饭送来，我这里吃了就完事。若是晚上吃酒，不许叫人管着我，我要尽力吃够了才罢。我先在家里，吃二三斤好惠泉酒呢；如今学了这劳什子，他们说怕坏嗓子，这几年也没闻见。趁今日，我可是要开斋了。』（芳官有不同的经历与习性。）宝玉道：『这个容易。』

说着，只见柳家的果遣人送了一个盒子来。春燕接着，揭开看时，里面是一碗虾丸鸡皮汤，又是一碗酒酿清蒸鸭子，一碟腌的胭脂鹅脯，还有一碟四个奶油松瓤卷酥，并一大碗热腾腾碧莹莹绿畦香稻粳米饭。春燕放在案上，走来安小菜碗箸，过来拨了一碗饭。芳官便说：『油腻腻的，谁吃这些东西！』只将汤泡饭吃了一碗，拣了两块腌鹅，就不吃了。（芳官已相当恃宠骄纵了。不祥。）宝玉闻着，倒觉比往常之味又胜些似的，遂吃了一个卷酥，又命春燕也拨了半碗饭，泡汤一吃，十分香甜可口。春燕和芳官都笑了。

吃毕，春燕便将剩的要交回。宝玉道：『你吃了罢，若不够，再要些来。』春燕道：『不用要，这就够了。

方才麝月姐姐拿了两盘子点心给我们吃了，我再吃了这个，尽够了，不用再吃了。』说着，便站在桌旁，一顿吃了，又留下两个卷酥，说：『这个留着给我妈吃。晚上要吃酒，给我两碗酒吃就是了。』（女奴们的物质生活远优于平民，这大概可以叫做『贵族奴隶』了。）宝玉笑道：『你也爱吃酒？等着咱们晚上痛喝一阵。你袭人姐姐和晴雯姐姐的量也好，也要喝，只是每日不好意思，趁今日大家开斋。还有件事，想着嘱咐你，竟忘了，此刻才想起来，以后芳官全要你照看他，他或有不到处，你提他。袭人照顾不过这些人来。』春燕道：『我都知道，不用你操心。但只五儿的事怎么样？』宝玉道：『你和柳家的说去，明儿直叫他进来罢，等我告诉他们一声就完了。』（只须知会或备案，不须审批。小丫头自有其关系网。）芳官听了，笑道：『这倒是正经事。』春燕又叫两个小丫头进来，伏侍洗手倒茶。自己收了家伙，交与婆子，也洗手，便去找柳家的，不在话下。

宝玉便出来，仍往红香圃寻众姊妹。芳官在后，拿着巾扇。刚出了院门，只见袭人晴雯二人携手回来。宝玉问：『你们做什么？』袭人道：『摆下饭了，等你吃饭呢。』宝玉便笑着将方才吃饭的一节，告诉了他两个。袭人笑道：『我说你是猫儿食。虽然如此，也该上去陪他们，多少应个景儿。』晴雯用手指戳在芳官额上，说道：『你就是狐媚子！什么空儿，跑了去吃饭，两个怎么约下了？也不告诉我们一声儿。』袭人笑道：『不过是误打误撞的遇见，说约下，可是没有的事。』晴雯道：『既这么着，要我们无用，明日我们都走了，让芳官一个人，就够使了。』（也是娇音谑语。）袭人笑道：『我们都去了使得，你却去不得。』晴雯道：『惟有我是第一个要去，又懒，又夯，性子又不好，又没用。』袭人笑道：『倘或那孔雀褂子襟再烧了窟窿，你去了，谁可会补呢？你倒别和我拿三搬四的，我烦你做个什么，把你懒的「横针不拈，竖线不动」。一般也不是我的私活烦你，横竖都是他的，你就都不肯做。怎么我去了几天，你病的七死八活，一夜连命也不顾，给他做了出来，这又是什么原故？你到底说话呀！怎么装憨儿，和我笑？那也当不了什么。』（既嫉妒，又友谊，既嗔怨，又要笑，既攻守，又开心。这个劲儿拿得准，写得巧。左添一分便成了争风吃醋姨太太打架，右添一分便成了一堆废话。）晴雯笑着啐了一口。大家说着，来至厅上。薛姨妈也来了，依序坐下吃饭。宝玉只用茶泡了半碗饭，应景而已。

一时吃毕，大家吃茶闲话，又随便玩笑。外面小螺和香菱、芳官、蕊官、藕官、豆官等四五个人，满园玩了一回，大家采了些花草来，兜着坐在花草堆里斗草。这一个说：『我有观音柳。』那一个说：『我有罗汉松。』那一个又说：『我有君子竹。』这一个又说：『我有美人蕉。』这个又说：『我有星星翠。』那个又说：『我有月月红。』这个又说：『我有《牡丹亭》上的牡丹花。』那个又说：『我有《琵琶记》里的枇杷果。』豆官便说：『我有姊妹花。』众人没了，香菱便说：『我有夫妻蕙。』（植物科，花草篇。雪芹真个是「能不够」也。）豆官说：『从没听见有个「夫妻蕙」。』香菱道：『一个剪儿一个花儿叫做「兰」，一个剪儿几个花儿叫做「蕙」。上下结花的为「兄弟蕙」，并头结花的为「夫妻蕙」。我这枝并头的，怎么不是「夫妻蕙」？』豆官没得说了，便起身笑道：『依你说，要是这两枝一大一小，就是「老子儿子蕙」了。若是两枝背面开的，就是「仇人蕙」了。你汉子去了大半年，你想他了，便拉扯着蕙上也有了夫妻了，好不害羞！』（这应叫「人文花草学」。）

香菱听了，红了脸，忙要起身拧他，笑骂道：『我把你这个烂了嘴的小蹄子！满口里放屁胡说。』（小女子们说笑打闹，本甚有趣，「红」中嫌多了些。）豆官见他要站起来，怎肯容他，便连忙伏身将他压住，回头笑着央告蕊官等：『来帮着我拧他这张嘴！』两个人滚在地下。众人拍手笑说：『了不得了！那是一洼子水，可惜弄了他的新裙子。』豆官回头看了一看，果见傍边有一汪积雨，香菱的半条裙子都污湿了，自己不好意思，忙夺手跑了。众人笑个不住，怕香菱拿他们出气，也都笑着一哄而散。

香菱起身，低头一瞧，见那裙上犹滴滴点点流下绿水来。（这几句描写令人想入非非。）正恨骂不绝，可巧宝玉见他们斗草，也寻了些草花来凑戏，忽见众人跑了，只剩了香菱一个，低头弄裙，因问：『怎么散了？』香菱便说：『我有一枝夫妻蕙，他们不知道，反说我诌，因此闹起来，把我的新裙子也遭塌了。』宝玉笑道：『你有夫妻蕙，我这里倒有一枝并蒂菱。』口内说着，手里真个拈着一枝并蒂菱花，又拈了那枝夫妻蕙在手内。香菱道：『什么夫妻不夫妻，并蒂不并蒂！你瞧瞧这裙子。』宝玉便低头一瞧，『嗳呀』了一声，说：『怎么就拉在泥里了？可惜！这石榴红绫，最不禁染。』香菱道：『这是前日琴姑娘带了来的，姑娘做了一条，我做了一条，今日才上身。』宝玉跌脚叹道：『若你们家，一日遭塌这么一件，也不值什么。只是头一件，既系琴姑娘带来的，你和宝姐姐每人才一件，他的尚好，你的先弄坏了，岂不辜负他的心。二则，姨妈老人家的嘴碎，饶这么样，我还听见常说你们不知过日子，只会遭塌东西，不知惜福呢。这叫姨妈看见了，又说个不清。』（宝玉为何对姨妈有此反应？未知其详。）香菱听了这话，却碰在心坎儿上，反倒喜欢起来，因笑道：『就是这话。我虽有几条新裙子，都不合这一样，若有一样的，赶着换了，也就好了，过后再说。』

宝玉道：『你快休动，只站着方好；不然连小衣、膝裤、鞋面都要弄上泥水了。我有主意：袭人上月做了一条和这个一模一样的。他因有孝，如今也不穿，竟送了你换下这个来，何如？』香菱笑着摇头说：『不好。倘或他们听见了，倒不好。』宝玉道：『这怕什么。等他孝满了，他爱什么，难道不许你送他别的不成？你若这样，不是你素日为人了。况且不是瞒人的事，只管告诉宝姐姐也可。只不过怕姨妈老人家生气罢了。』香菱想了一想有理，点头笑道：『就是这样罢了，别辜负了你的心。等着你，千万叫他亲自送来才好！』宝玉听了，喜欢非常，答应了，忙忙的回来，一壁低头心下暗想：『可惜这么一个人，没父母，连自己本姓也忘了，被人拐出来，偏又卖与这个霸王。』（宝玉到处怜香惜玉，广结情缘。）因又想起：『上月平儿也是意外，想不到的；今日更是意外之意外的事了。』一面胡思乱想，来至房中，拉了袭人，细细告诉了他原故。

香菱之为人，无人不怜爱的；袭人又本是个手中撒漫的，况与香菱相好，一闻此信，忙就开箱取了出来，折好，随了宝玉来寻香菱。见他还站在那里等呢。袭人笑道：『我说你太淘气了，总要淘出个故事来才罢。』香菱红了脸，笑说：『多谢姐姐了，谁知那起促狭鬼使的黑心！』说着，接了裙子，展开一看，果然合自己的一样；又命宝玉背过脸去，自己向内解下来，将这条系上。（像好莱坞的镜头。男女纯情，美在天真，令人向往，令人爱恋。细想起来，却摆脱不了性意识与性暗示……而一旦『性』起来，这种天真的纯情又失落了。人间诸事，实难两全。）袭人道：『把这腌臜了的交与我拿回去，收拾了，给你送来。你若拿回去，看见了，又是要问的。』香菱道：『好姐姐，你拿去，不拘给那个妹妹罢，我有了这个，不要他了。』（香菱身世虽不幸，心境倒宽。）袭人道：『你倒大方得很。』香菱忙又拜了两拜，道谢袭人。一面袭人拿了那条泥污了的裙子就走。

香菱见宝玉蹲在地下，将方才夫妻蕙与并蒂菱用树枝儿挖了一个坑，先抓些落花来铺垫了，将这菱蕙安放上，又将些落花来掩了，方撮土掩埋平伏。香菱拉他的手笑道：『这又叫做什么？怪道人人说你惯会鬼鬼祟祟使人肉麻呢。你瞧瞧，你这手弄得泥污苔滑的，还不快洗去！』（有点亲热感了。）宝玉笑着，方起身走了去洗手。香菱也自走开。

二人已走了数步，香菱复转身回来，叫住宝玉。宝玉不知有何说话，扎煞着两只泥手，笑嘻嘻的转来，问：『作什么？』香菱红了脸，只管笑，嘴里却要说什么，又说不出口来。（似乎确有话要说。）因那边他的小丫头臻儿走来说：『二姑娘等你说话呢。』香菱脸又一红，方向宝玉道：『裙子的事，可别和你哥哥说，就完了。』（此话似不必说——正如宝玉所说『可不是我疯了』，或许是想说句体己的感谢话，又不知怎么说好吧？）说毕，即转身走了。宝玉笑道：『可不是我疯了，往虎口里探头儿去呢！』说着，也回去了。不知端详，下回分解。

此回题云『呆香菱情解石榴裙』，其实应是呆宝玉情赠石榴裙。香菱或亦有情，主要是宝玉，宝玉处处有情。连续回回（五十八至六十一）写大观园里的纷争，赵姨娘大打出手，柳家的摘权半日，司棋打砸抢，五儿拘留审察……这一回又缓下来了。四面虽起火，天下仍太平。

生活一团乱麻，青春仍然欢愉，园子依旧美丽，情思永远美好，哪怕厄运渐渐离近。

第六十三回　寿怡红群芳开夜宴　死金丹独艳理亲丧

话说宝玉回至房中洗手，因与袭人商议：『晚间吃酒，大家取乐，不可拘泥。如今吃什么好，早说给他们备办去。』

袭人笑道：『你放心，我和晴雯、麝月、秋纹四个人，每人五钱银子，共是二两；芳官、碧痕、春燕、四儿四个人，每人三钱银子，他们告假的不算：共是三两二钱银子，早已交给了柳嫂子，预备四十碟果子。我和平儿说了，已经抬了一坛好绍兴酒，藏在那边了。（绍兴酒源远流长。）我们八个人，单替你做生日。』（与给凤姐过生日的路子有同有不同。）宝玉听了，喜的忙说：『他们是那里的钱，不该叫他们出才是。』晴雯道：『他们没钱，难道我们是有钱的？这原是各人的心，那怕他偷的呢，只管领他的情就是了。』（快人快语。）

（又一次狂欢。这么多狂欢，怎么得了？对于普通人来说，人生能有几次（狂）欢？）

宝玉听了，笑说：『你说的是。』袭人笑道：『你这个人，一天不挨他两句硬话村你，你再过不去。』（硬话，其实就是到位乃至略越位的话。有对上一章的袭人的玩笑数落的回答。『红』中对话，不仅反映了该时该景，而且照顾到前因后果。雪芹真神笔也。）晴雯笑道：『你如今也学坏了，专会调三窝四。』说着，大家都笑了。宝玉说：『关了院门罢。』袭人笑道：『怪不得人说你是「无事忙」！这会子关了门，人倒疑惑起来，索性再等一等。』宝玉点头，因说：『我出去走走。四儿舀水去，春燕一个跟我来罢。』说着，走至外边，因见无人，便问五儿之事。春燕道：『我才告诉了柳嫂子，他倒喜欢得很；只是五儿那夜受了委屈烦恼，回去又气病了，那里来得？只等好了罢。』（好事多磨。有病也会影响提拔。）宝玉听了，未免后悔长叹，因又问：『这事袭人知道不知道？』春燕道：『我没告诉，不知芳官可说了不曾？』宝玉道：『我却没告诉过他。也罢，等我告诉他就是了。』说毕，复走进来，故意洗手。

已是掌灯时分，听得院门前有一群人进来。大家隔窗悄视，果见林之孝家的和几个管事的女人走来，前头一人提着大灯笼。晴雯悄笑道：『他们查上夜的人来了。这一出去，咱们就好关门了。』只见怡红院凡上夜的人，都迎了出去。林之孝家的看了不少，又吩咐：『别要钱吃酒，放倒头睡到大天亮。我听见是不依的。』（很负责。）众人都笑说：『那里有这么大胆子的人。』林之孝家的又问：『宝二爷睡下了没有？』众人都回：『不知道。』袭人忙推宝玉，宝玉靸了鞋，便迎出来，笑道：『我还没睡呢。妈妈进来歇歇。』又叫：『袭人，倒茶来。』林之孝家的忙进来，笑说：『还没睡呢？如今天长夜短了，该早些睡，明日方起得早；不然，到了明日起迟了，人家笑话，不是个读书上学的公子了，倒像那起挑脚汉了。』说毕，又笑。宝玉忙笑道：『妈妈说得是。我每日都睡得早，妈妈每日进来，可都是我不知道的，已经睡了。今日因吃了面，怕停食，所以多玩一回。』林之孝家的又向袭人等笑说：『该泡些普洱茶吃。』（林之孝家的之流，本很忠心报主，却又给人以讨嫌之感。）袭人晴雯二人忙说：『泡了一茶缸子女儿茶，已经吃过两碗了。大娘也尝一碗，都是现成的。』（也是你有政策我有对策，你说你的，我活我的。）

说着，晴雯便倒了来。林家的站起接了，又笑道：『这些时，我听见二爷嘴里都换了字眼，赶着这几位大姑娘们竟叫起名字来。（这是评论前写『袭人倒茶来』这句话的。）虽然在这屋里，到底是老太太、太太的人，还该嘴里尊重些才是。若一时半刻偶然叫一声使得；若只管顺口叫起来，怕以后兄弟侄儿照样，便惹人笑话这家子的人眼里没有长辈了。』（教育别人的人都嫌啰嗦。）宝玉笑道：『妈妈说的是。我不过是一时半刻偶然叫一句是有的。』袭人晴雯都笑说：『这可别委屈了他。直到如今，他可「姐姐」没离了嘴，不过玩的时候叫一声半声名字。若当着人，却是和先一样。』林之孝家的笑道：『这才好呢，这才是读书知礼的。越自己谦逊，越尊重，别说是三五代的陈人，现从老太太、太太屋里拨过来的，便是老太太、太太屋里的猫儿狗儿，轻易也伤不得他。这才是受过调教的公子行事。』（林之孝家的也是语出必教训，一副教师奶奶的面孔。）说毕，吃了茶，便说：『请安歇罢，我们走了。』宝玉还说：『再歇歇。』那林之孝家的已带了众人又查别处去了。

这里晴雯等忙命关了门，进来笑说：『这位奶奶那里吃了一杯来了？唠三叨四的，又排场了我们一顿去了。』麝月笑道：『他也不是好意的，少不得也要常提着些儿，也堤防着怕走了大褶儿的意思。』（常提着些儿，提防着，怕走了大褶儿，对于实际很难贯彻却又贵为金科玉律的东西，就要这样多下嘴皮子上的功夫。）说着，一面摆上酒果。袭人道：『不用高桌，咱们把那张花梨圆炕桌子放在炕上坐，又宽绰，又便宜。』说着，大家果然抬来。麝月和四儿那边去搬果子，用两个大茶盘，做四五次方搬运了来。两个老婆子蹲在外面火盆上筛酒。

宝玉说：『天热，咱们都脱了大衣裳才好。』众人笑道：『你要脱，你脱，我们还要轮流安席呢。』（『安席』大约是一种很正式的客气，犹如领导讲话，然后大家举杯。）宝玉笑道：『这一安席，就要到五更天了。知道我最怕这些俗套，在外人跟前，不得已的。这会子还怄我，就不好了。』众人听了，都说：『依你。』于是先不上坐，且忙着卸妆宽衣。一时将正妆卸去，头上只随便挽着纂儿，身上皆是长裙短袄。（不拘形式。）宝玉只穿着大红绵纱小袄儿，下面绿绫弹墨夹裤，散着裤脚，系着一条汗巾，靠着一个各色玫瑰芍药花瓣装的玉色夹纱新枕头，和芳官两个先搳拳。当时芳官满口嚷热，只穿着一件玉色红青驼绒三色缎子拼的水田小夹袄，束着一条柳绿汗巾，底下是水红洒花夹裤，也散着裤腿；（瞧这穿戴！）头上齐额编着一圈小辫，总归至顶心，结一根粗辫，拖在脑后；右耳根内只塞着米粒大小的一个小玉塞子，左耳上单一个白果大小的硬红镶金大坠子；越显得面如满月犹白，眼似秋水还清。引得众人笑说：『他两个倒像一对双生的弟兄。』（这种性别代换的说法有趣。）

袭人等一一斟上酒来，说：『且等一等再搳拳，虽不安席，在我们每人手里吃一口罢了。』于是袭人为先，端在唇上，吃了一口，其余依次下去，一一吃过，大家方团圆坐了。春燕四儿因炕沿坐不下，便端了两张椅子，近炕放下。那四十个碟子，皆是一色白彩定窑的，不过只有小茶碟大，里面不过是山南海北干鲜水陆的酒馔果菜。

宝玉因说：『咱们也该行个令才好。』袭人道：『斯文些才好，别大呼小叫，叫人听见；二则我们不识字，可不要那些文的。』麝月笑道：『拿骰子咱们抢红罢。』宝玉道：『没趣，不好。咱们占花名儿好。』晴雯笑道：『正是，早已想弄这个玩意儿。』袭人道：『这个玩意虽好，人少了没趣。』春燕笑道：『依我说，咱们竟悄悄的把宝姑娘、云姑娘、林姑娘请了来，玩一会子，到二更天再睡不迟。』袭人道：『又开门阖户的闹，倘或遇见巡夜的问。』宝玉道：『怕什么，咱们三姑娘也吃酒，再请他一声才好。还有琴姑娘。』众人都道：『琴姑娘罢了，他在大奶奶屋里，叨蹬的大发了。』（渐渐『做』大了。）宝玉道：『怕什么！你们就快请去。』

春燕四儿都巴不得一声，二人忙命开门，分头去请。晴雯、麝月、袭人三人又说：『他两个去请，只怕宝林两个不肯来，须得我们请去，死活拉他来。』于是袭人晴雯忙又命老婆子打个灯笼，二人又去。果然宝钗说：『夜深了。』黛玉说：『身上不好。』他二人再三央求：『好歹给我们一点体面，略坐坐再来。』众人听了，却也欢喜，因想不请李纨，倘或被他知道了，倒不好，便命翠墨同了春燕也再三的请了李纨和宝琴二人，会齐，先后都到了怡红院中；（任何场面都有类似李纨这样的『不请不好』，却本来可以不请的人。）袭人又死活拉了香菱来。炕上又并了一张桌子，方坐开了。宝玉忙说：『林妹妹怕冷，过这边靠板壁坐。』又拿了个靠背垫着些。袭人等都端了椅子在炕沿下陪着。黛玉却离桌远远的靠着靠背，因笑向宝钗、李纨、探春等道：『你们日日说人家夜饮聚赌，今日我们自己也如此，以后怎么说人！』李纨笑道：『有何妨碍？一年之中，不过生日节间如此，并没夜夜如此，这倒也不怕。』

说着，晴雯拿了一个竹雕的签筒来，里面装着象牙花名签子，摇了一摇，放在当中。又取过骰子来，盛在盒内，摇了一摇，揭开一看，里面是六点，数至宝钗。宝钗便笑道：『我先抓，不知抓出个什么来！』说着将筒摇了一摇，伸手掣出一签，大家一看，只见签上画着一枝牡丹，题着『艳冠群芳』四字，下面又有镌的小字，一句唐诗，道是：

任是无情也动人。（把宝钗定为『群芳之冠』，说她『任是无情也动人』，倒也当之无愧。宝钗也是一种理想，是人所不可缺少的一种心理机制的化身。）

反映了宝玉也反映了作者对于钗、黛的选择上的困惑，乃至遗憾。似钗似黛（见第五回）才算『兼美』。对于黛玉的定情，并不妨碍对于宝钗的高度评价、艳羡。宝钗毕竟也是一种极致，一种理想，正像黛玉是另一种。作者理想的女性似应是二者的兼美，实际上又做不到，实际上常常是顾此失彼，重此轻彼。作者钟爱的女性当然是黛玉。作者钦佩的女性却是宝钗。

又注着：『在席共贺一杯。此为群芳之冠，随意命人，不拘诗词雅谑，或新曲一支为贺。』众人都笑说：『巧得很！你也原配牡丹花。』说着大家共贺了一杯，宝钗吃过，便笑说：『芳官唱一只我们听罢。』芳官道：『既这样，大家吃了门杯好听。』于是大家吃酒，芳官便唱：『寿筵开处风光好……』众人都道：『快打回去！这会子很不用你来上寿。拣你极好的唱来。』芳官只得细细的唱了一只《赏花时》：『翠凤翎毛扎帚杈，闲踏天门扫落花……』才罢。（想起黛玉葬花来了。）

宝玉却只管拿着那签，口内颠来倒去念『任是无情也动人』，听了这曲子，眼看着芳官不语。湘云忙一手夺了，撂与宝钗。宝钗又掷了一个十六点，数到探春。探春笑道：『还不知得个什么！』伸手掣了一根出来，自己一瞧，便撂在桌上，红了脸，笑道：『这东西，不该行这令。这原是外头男人们行的令，许多混账话在上头。』众人不解，袭人等忙拾了起来，众人看上面是一枝杏花，那红字写着『瑶池仙品』四字，诗云：

日边红杏倚云栽。（『日边』『倚云』云云，言其远也。『命运说』未必可信，但对于命运与征兆的相信会带来许多小说情节。）

注云：『得此签者，必得贵婿，大家恭贺一杯，共同饮一杯。』众人笑说道：『我们说是什么呢！这签原是闺阁中取笑的，除了这两三根有这话的，并无杂话，这有何妨？我们家已有了王妃，难道你也是王妃不成？大喜，大喜！』说着大家来敬，探春那里肯饮，却被史湘云、香菱、李纨等三四个人，强死强活，灌了一钟才罢。探春只命：『蠲了这个，再行别的。』众人断不肯依。湘云拿着他的手，强掷了个十九点出来，便该李氏掣。

李氏摇了一摇，掣出一根来，一看笑道：『好极！你们瞧瞧这行子，竟有些意思。』众人瞧那签上，画着一枝老梅，是写着『霜晓寒姿』四字（李纨与众少女有良好的关系，却也保持着距离，既能入乎其内，又能出乎其外。），那一面旧诗是：

竹篱茅舍自甘心。

注云：『自饮一杯，下家掷骰。』李纨笑道：『真有趣，你们掷去罢，我只自吃一杯，不问你们的废兴。』（『不问……废兴』本是政治语言。中国有以政治语言表述生活琐事乃至游戏的传统。）说着便吃酒，将骰过与黛玉。黛玉一掷是十八点，便该湘云掣。湘云笑着，揎拳掳袖的，伸手掣了一根出来，大家看时，一面画着一枝海棠，题着『香梦沉酣』四字，（香梦沉酣，岂止湘云？）那面诗道是：

只恐夜深花睡去。

黛玉笑道：『「夜深」二字改「石凉」两个字。』众人便知他打趣白日间湘云醉眠的事，都笑了。湘云笑指那自行船与黛玉看，又说：『快坐上那船家去罢，别多说了！』众人都笑了。因看注云：『既云香梦沉酣，掣此签者，不便饮酒，只令上下两家各饮一杯。』湘云拍手笑道：『阿弥陀佛，真真好签！』恰好黛玉是上家，宝玉是下家，二人斟了两杯，只得要饮。宝玉先饮了半杯，瞅人不见，递与芳官，芳官即便端起来，一仰脖喝了。（芳官好可爱，天真如个半大小子。）黛玉只管和人说话，将酒全折在漱盂内了。

湘云便抓起骰子来一掷个九点，数去该麝月。麝月便掣了一根出来，大家看时，上面是一枝荼蘼花，题着『韶华胜极』四字，那边写着一句旧诗，道是：

开到荼蘼花事了。

注云：『在席各饮三杯送春。』麝月问：『怎么讲？』宝玉皱眉，忙将签藏了，说：『咱们且喝酒。』（宝玉喜聚不喜散，喜始不喜了，悲夫！）说着，大家吃了三口，以充三杯之数。麝月一掷个十点，该香菱。香菱便掣了一根并蒂花，题着『联春绕瑞』，那面写着一句旧诗，道是：

连理枝头花正开。

注云：『共贺掣者三杯，大家陪饮一杯。』香菱便又掷了个六点，该黛玉。黛玉默默的想道：『不知还有什么好的被我掣着方好。』（何必认真？太放不开了。）一面伸手取了一根，只见上面画着一枝芙蓉花，题着『风露清愁』四字，那面一句旧诗，道是：

莫怨东风当自嗟。

注云：『自饮一杯，牡丹陪饮一杯。』（牡丹陪饮。难解难分。）众人笑说：『这个好极！除了他，别人不配做芙蓉。』黛玉也自笑了，于是饮了酒，便掷了个二十点，该着袭人。袭人便伸手取了一枝出来，却是一枝桃花，题着『武陵别景』四字，那一面写着旧诗，道是：

桃红又见一年春。

注云：『杏花陪一盏，坐中同庚者陪一盏，同姓者陪一盏。』（以花比附少女，诗文中早已有之，多取其美艳之意，而『红』则把花写成了性格与命运的载体，令人产生沉重感。）众人笑道：『这一回热闹有趣。』大家算来：香菱、晴雯、宝钗三人皆与他同庚，黛玉与他同辰，只无同姓者。芳官忙道：『我也姓花，我也陪他一钟。』（时过境迁，悲凉无尽，于是往日一切笑语皆成谶语，一切哄闹皆成丧音，岂不哀哉！）于是大家斟了酒，黛玉因向探春笑道：『命中该招贵婿的，你是杏花，快喝了，我们好喝。』探春笑道：『这是什么话，大嫂子顺手给他一巴掌！』李纨笑道：『人家不得贵婿，反挨打，我也不忍得。』众人都笑了。（是酒令，是花名，也是一些朦朦胧胧的诗句。是花，是诗，是谜，是象征。狂欢中不无凄凉：任是无情，红杏倚云，夜深花睡，花了送春，莫怨东风，又见一春，低吟短唱，余音绕梁，谁能解破，谁能自已？）

袭人才要掷，只听有人叫门，老婆子忙出去问时，原来是薛姨妈打发人来了接黛玉的。众人因问：『几更了？』人回：『二更以后了，钟打过十一下了。』宝玉犹不信，要过表来瞧了一瞧，已是子初二刻十分了，黛玉便起身说：『我可掌不住了，回去还要吃药哩。』众人说：『也都该散了。』袭人宝玉等还要留着众人，李纨探春等都说：『夜太深了不像，这已是破格了。』袭人道：『既如此，每位再吃一杯再走。』（越晚越不想散，越晚越想继续。）说着，晴雯等已都斟满了酒。每人吃了，都命点灯。

袭人等都送过沁芳亭河那边，方回来。关了门，大家复又行起令来。袭人等又用大钟斟了几钟，用盘子攒了各样果菜与地下的老妈妈们吃。彼此有了三分酒，便猜拳赢唱小曲儿。那天已四更时分，老妈妈们一面明吃，一面暗偷，酒缸已罄，众人听了，方收拾盥漱睡觉。芳官吃得两腮胭脂一般，眉梢眼角，添了许多丰韵，身子图不得，便睡在袭人身上，说：『姐姐，我心跳得很。』袭人笑道：『谁叫你尽力灌呢！』春燕四儿也图不得，早睡了，晴雯还只管叫。宝玉道：『不用叫了，咱们且胡乱歇一歇。』自己便枕了那红香枕，身子一歪，就睡着了。袭人见芳官醉得很，恐闹他唾酒，只得轻轻起来，就将芳官扶在宝玉之侧，由他睡了，自己却在对面榻上倒下。（群芳中芳官成了主角，时间与场合，决定了主角的转换，想一想，竟也是『命』，也是写文章的方法，总要不断变换笔墨的。）大家黑甜一觉，不知所之。

及至天明，袭人睁眼一看，只见天色晶明，忙说：『可迟了！』向对面床上瞧了一瞧，只见芳官头枕着炕沿上，睡犹未醒，连忙起来叫他。宝玉已翻身醒了，笑道：『可迟了！』因又推芳官起身。那芳官坐起来，犹发怔揉眼睛。袭人笑道：『不害羞！你吃醉了，怎么也不拣地方儿，乱挺下了？』芳官听了，瞧一瞧，方知是和宝玉同榻，忙笑的下地来说：『我怎么吃得不知道了！』宝玉笑道：『我竟也不知道了。若知道，给你脸上抹些黑墨。』（竟是一副长不大的小少爷的声口。）

说着，丫头进来，伺候梳洗。宝玉笑道：『昨日有扰，今日晚上我还席。』袭人笑道：『罢，罢，罢！今日可别闹了，再闹就有人说话了。』宝玉道：『怕什么，不过才两次罢了。咱们也算会吃酒的了，那一坛子酒怎么就吃光了。正在有趣，偏又没了。』袭人笑道：『原要这样才有趣。必致兴尽了，反无后味。昨日都好上来了，晴雯连臊也忘了，我记得他还唱了一个曲儿。』四儿笑道：『姐姐忘了，连姐姐还唱了一个呢。在席的谁没唱过？』（这就是酒的好处了，使压制重重的少女们『解放』那么一回。青春行乐图。）众人听了，俱红了脸，用两手握着，笑个不住。

忽见平儿笑嘻嘻的走来，说：『我亲自来请昨日在席的人，今日我还东，短一个也使不得。』众人忙让坐吃茶。晴雯笑道：『可惜昨夜没他。』平儿忙问：『你们夜里做什么来？』袭人便说：『告诉不得你。昨日夜里热闹非常，连往日老太太、太太带着众人玩，也不及昨日这一玩。一坛酒我们都鼓捣光了，一个个喝得把臊都丢了，又都唱起来。四更多天，才横三竖四的打了一个盹儿。』平儿笑道：『好！白和我要了酒来，也不请我，还说着给我听，气我。』晴雯道：『今日他还席，必自来请你的，等着罢。』平儿笑问道：『「他」是谁，谁是「他」？』晴雯听了，把脸飞红了，赶着打，笑说道：『偏你这耳朵尖，听得真。』（满腔春意关不住，一个『他』字出口来。）平儿笑道：『呸，不害臊的丫头！这会子有事，不和你说，我干事去了，回来再打发人来请。一个不到，我是打上门来的。』宝玉等忙留他，却已经去了。

这里宝玉梳洗了，正吃茶，忽然一眼看见砚台底下压着一张纸，因说道：『你们这么随便混压东西，也不好。』袭人晴雯等忙问：『又怎么了，谁又有了不是了？』宝玉指道：『砚台下是什么？一定又是那位的样子，忘记收的。』晴雯忙启砚拿了出来，却是一张字帖儿，递与宝玉看时，原来是一张粉红笺纸，上面写着：『槛外人妙玉恭肃遥叩芳辰。』（以宝玉为核心，除了包括小姐与只包括身边工作人员的嫡系两个同心圆外，还有槛外一点的尴尬妙玉。）宝玉看毕，直跳了起来，忙问：『是谁接了来的？也不告诉。』袭人晴雯等见了这般，不知当是那个要紧的人来的帖子，忙一齐问：『昨日是谁接下了一个帖子？』四儿忙跑进来，笑说：『昨日妙玉并没亲来，只打发个妈妈送来，我就搁在这里，谁知一顿酒喝的就忘了。』众人听了道：『我当是谁，大惊小怪！这也不值得。』

宝玉忙命：『快拿纸来。』当下拿了纸，研了墨，看他下着『槛外人』三字，自己竟不知回帖上回个什么字样才相敌，只管提笔出神，半天仍没主意。因又想：『若问宝钗去，他必又批评怪诞，不如问黛玉去。』想罢，袖了帖儿，径来寻黛玉。刚过了沁芳亭，忽见岫烟颤颤巍巍的迎面走来，（岫烟走路如何会颤颤巍巍，想是形容其柔弱动人之状。）宝玉忙问：『姐姐那里去？』岫烟笑道：『我找妙玉说话。』宝玉听了诧异，说道：『他为人孤癖，不

合时宜，万人不入他的目。原来他推重姐姐，竟知姐姐不是我们一流俗人。』岫烟笑道：『他也未必真心重我，但我和他做过十年的邻居，只一墙之隔。他在蟠香寺修炼，我家原寒素，赁房居住，就赁了他的庙里房子，住了十年，无事到他庙里去作伴。我所认得的字，都是承他所授。我和他又是贫贱之交，又有半师之分。因我们投亲去了，闻得他因不合时宜，权势不容，竟投到这里来。如今又天缘凑合，我们得遇，旧情竟未改易，承他青目，更胜当日。』（小说人物，分分合合。岫烟本似节外生枝，却又在这里与妙玉会合。）

宝玉听了，恍如听了焦雷一般，喜得笑道：『怪道姐姐举止言谈，超然如野鹤闲云，（野鹤闲云，更像说男人，更多却给人作秀之感。这里说岫烟，似也过了。）原本有来历。我正因他的一件事为难，要请教别人去。如今遇见姐姐，真是天缘凑合，求姐姐指教。』说着便将拜帖取与岫烟看。岫烟笑道：『他这脾气竟不能改，竟是生成这等放诞诡僻了。从来没见拜帖上下别号的，这可是俗语说的「僧不僧，俗不俗，女不女，男不男」，成个什么理数！』（一种扭曲，可叹。）宝玉听说，忙笑道：『姐姐不知道，他原不在这些人中算，他原是世人意外之人，因取了我是个些微有知识的，方给我这帖子。我因不知回什么字样才好，竟没了主意，正要去问林妹妹，可巧遇见了姐姐。』

岫烟听了宝玉这话，且只管用眼上下细细打量了半日，方笑道：『怪道俗语说的「闻名不如见面」，又怪不得妙玉竟下这帖子给你，又怪不得上年竟给你那些梅花。既连他这样，少不得我告诉你原故。他常说：「古人中自汉、晋、五代、唐、宋以来，皆无好诗，只有两句好，说道：『纵有千年铁门槛，终须一个土馒头。』」所以他自称「槛外之人」。又常赞：「文是庄子的好。」故又或称为「畸人」。他若帖子上是自称「畸人」的，你就还他个「世人」。

「畸人」者，他自称是畸零之人；你谦自己乃世人扰扰之人，他便喜了。如今他自称「槛外之人」，是自谓蹈于「铁槛」之外了，故你如今只下「槛内人」，便合了他的心了。』（通过岫烟之口，透露出妙玉对宝玉的某些特殊对待的信息。）

宝玉听了，如醍醐灌顶，『嗳哟』了一声，方笑道：『怪道我们家庙说是「铁槛寺」呢！原来有这一说。姐姐就请，让我去写回帖。』岫烟听了，便自往栊翠庵来。宝玉回房，写了帖子，上面只写：『槛内人宝玉熏沐谨拜』几字，亲自拿了到栊翠庵，只隔门缝儿投进去，便回来了。（岫烟、妙玉等人，作者似已无空隙去写她们，对于一般作家来说，写了钗、黛、凤、平、袭、晴、探、芳等，已经有招架不了、支应不开之感了，而曹仍然不慌不忙地，自然而然地写到了岫、妙，如韩信点兵，多多益善，千军万马之众，一支秃笔调动得游刃有余。）

这才是小说，高明的小说。宝玉情感，或有专注，二人丽质，难分轩轾。宝玉的情感，又明白又不明白，又掰得开又掰不开，又专一又不那么专一。呜呼，此为小说笔墨也。如果把其中一个看成「第三者插足」，看成阴谋家、坏蛋、那种人物、故事，与「红」首回便嘲笑的三流传奇又有什么两样？

因饭后平儿还席，说红香圃太热，便在榆荫堂中摆了几席新酒佳肴。可喜尤氏又带了佩凤偕鸾二妾过来游玩，这二妾亦是青年姣憨女子，不常过来的，今既入了这园，再遇见湘云、香菱、芳、蕊一干女子，所谓『方以类聚，物以群分』，二语不错，只见他们说笑不了，也不管尤氏在那里，只凭丫鬟们去服役，且同众人一一的游玩。（平儿的还席草草带过，如上一章的片断回放，叫做余音袅袅。）

闲言少述，且说当下众人都在榆荫堂中，以酒为名，大家玩笑，命女先儿击鼓。平儿采了一枝芍药，大家约二十来人，传花为令，热闹了一回。因人回说：『甄家有两个女人送东西来了。』探春和李纨尤氏三人出去议事厅相见。这里众人且出来散一散。佩凤偕鸾两个去打秋千玩耍，宝玉便说：『你两个上去，让我送。』（宝玉太不落空子了。）慌得佩凤说：『罢了，别替我们闹乱子！』

忽见东府里几个人，慌慌张张跑来，说：『老爷宾天了。』众人听了，吓了一大跳，忙都说：『好好的并无疾病，怎么就没了？』家人说：『老爷天天修炼，定是功成圆满，升仙去了。』尤氏一闻此言，又见贾珍父子并贾琏等皆不在家，一时竟没个着己的男子来，未免忙了。只得忙卸了妆饰，命人先到元真观将所有的道士都锁了起来，等大爷来家审问；（不问青红皂白，先锁起来。）一面忙忙坐车，带了赖升一干老人媳妇出城。又请大夫看视，到底系何病症。

大夫们见人已死，何处诊脉来？素知贾敬导气之术，总属虚诞，更至参星礼斗，守庚申，服灵砂等，妄作虚为，过于劳神费力，反因此伤了性命的。如今虽死，腹中坚硬似铁，面皮嘴唇，烧的紫绛皱裂，便向媳妇回说：『系道教中吞金服砂，烧胀而殁。』众道士慌的回道：『原是秘制的丹砂吃坏了事，小道们也曾劝说：「功夫未到，且服不得。」不承望老爷于今夜守庚申时，悄悄的服了下去，便升仙去了。这是虔心得道，已出苦海，脱去皮囊了。』（贾敬的死仍觉突然。不能排除他是自杀的可能性。征候确实像自杀。学道修炼已久，为什么忽一日吞丹而殁？）

尤氏也不便听，只命锁着，等贾珍来发放，且命人飞马报信。一面看视里面窄狭，不能停放，横竖也不能进城的，忙装裹好了，用软轿抬至铁槛寺来停放。掐指算来，至早也得半月的工夫，贾珍方能来到。目今天气炎热，实不能相待，遂自行主持，命天文生择了日期入殓。寿木早年已经备下，寄在此庙的，甚是便宜。三日后，便破孝开吊，一面且做起道场来。因那边荣府中凤姐儿出不来，李纨又照顾姐妹，宝玉不识事体，只得将外头事务，暂托了几个家中二等管事人。贾㻞、贾珖、贾珩、贾瓔、贾菖、贾菱等各有执事。尤氏不能回家，便将他继母接来，在宁府看家。这继母只得将两个未出嫁的女孩儿带来，一并住着，才放心。（『一并住着，才放心』云云，像是讽刺，像是把种瓜得瓜变成了种瓜得豆。）

且说贾珍闻了此信，急忙告假，并贾蓉是有职人员。礼部见当今隆敦孝弟，不敢自专，具本请旨。原来天子极是仁孝过天的，且更隆重功臣之裔，一见此本，便诏问贾敬何职，礼部代奏：『系进士出身，祖职已荫其子贾珍。贾敬因年迈多疾，常养静于都城之外元真观，今因疾殁于观中。其子珍，其孙蓉，现因国丧，随驾在此，故乞假归殓。』天子听了，忙下额外恩旨曰：『贾敬虽无功于国，念彼祖父之忠，追赐五品之职，令其子孙扶柩由北下门入都，恩赐私第殡殓，任子孙尽丧，礼毕扶柩回籍。外着光禄寺按上例赐祭，朝中由王公以下，准其祭吊。钦此。』（阶级社会，死人也要分等分级享受不同的祭吊等待遇。）此旨一下，不但贾府中人谢恩，连朝中所有大臣，皆嵩呼称颂不绝。

封建道学讲得愈是高尚，礼节仪式愈是庄严隆重，就愈是脱离实际，脱离生活。实不若平易近人一点，承认人的基本欲望，并给以必要的引导约束，反贴近一点，真一点。远离了生活实际人性实际的道德只能是伪道德。

贾珍父子星夜驰回。半路中又见贾㻞贾珖二人领家丁飞骑而来，看见贾珍，一齐滚鞍下马请安。贾珍忙问：『做什么？』贾㻞回说：『嫂子恐哥哥和侄儿来了，老太太路上无人，叫我们两个来护送老太太的。』贾珍听了，

赞声不绝。又问：『家中如何料理？？』贾㻞等便将如何拿了道士，如何挪至家庙，怕家内无人，接了亲家母和两个姨奶奶在上房住着，贾蓉当下也下了马，听见两个姨娘来了，喜的笑容满面。（『喜的笑容满面』云云，露出一肚子坏水。）贾珍忙说了几声『妥当』，加鞭便走。店也不投，连夜换马飞驰。

一日到了都门，先奔入铁槛寺，那天已是四更天气，坐更的闻知，忙喝起众人来。贾珍下了马，和贾蓉放声大哭，从大门外便跪爬进来，至棺前稽颡泣血，直哭到天亮，喉咙都哭哑了方住。（虚应故事，却与真的一样，或超过了真情流露。）尤氏等都一齐见过，贾珍父子忙按礼换了凶服，在棺前俯伏。无奈自要理事，竟不能目不视物，耳不闻声，少不得减了些悲戚，好指挥众人。因将恩旨备述给众亲友听了，一面先打发贾蓉家中来，料理停灵之事。

贾蓉巴不得一声儿，便先骑马跑来，到家忙命前厅收桌椅，下槅扇，挂孝幔子，门前起鼓手棚、牌楼等事。又忙着进来看外祖母、两个姨娘。原来尤老安人年高喜睡，常常歪着，他二姨娘三姨娘都和丫头们做活计，见他来了，都道烦恼。贾蓉且嘻嘻的望他二姨娘笑说：『二姨娘，你又来了？我父亲正想你呢。』（看来早有瓜葛。）尤二姐红了脸，骂道：『好蓉小子，我过两日不骂你几句，你就过不得了，越发连个体统都没了！还亏你是大家公子哥儿，每日念书学礼的，越发连那小家子的也跟不上！』说着顺手拿起一个熨斗来，兜头就打，吓得贾蓉抱着头，滚到怀里告饶。（尤二姐也很有风尘气、江湖气，倒是个训练有素、身手不凡的样儿。）尤三姐便转过脸去，说道：『等姐姐来家再告诉他。』

贾蓉忙笑着跪在炕上求饶，因又和他二姨娘抢砂仁吃。那二姐儿嚼了一嘴渣子，吐了他一脸，贾蓉用舌头都

磕着吃了。众丫头看不过，都笑说：『热孝在身上，老娘才睡了觉。他两个虽小，到底是姨娘家。你太眼里没有奶奶了。回来告诉爷，你吃不了兜着走！』贾蓉撇下他姨娘，便抱着那丫头亲嘴，说：『我的心肝！你说得是。咱们馋他们两个。』（贾蓉常显恶俗下流，比薛蟠多了些无赖气。）丫头们忙推他，恨得骂：『短命鬼！你一般有老婆丫头，只和我们闹。知道的说是玩，不知道的人，再遇见那样脏心烂肺的爱多管闲事嚼舌头的人，吵嚷到那府里，背地嚼舌，说咱们这边混账。』贾蓉笑道：『各门另户，谁管谁的事？都够使的了。从古至今，连汉朝和唐朝，人还说「脏唐臭汉」，何况咱们这宗人家！（完全不讲道学，连遮羞布都撕光了。贾蓉此语，帮助我们正视传统的另一面。）谁家没风流事？别叫我说出来。连那边大老爷这么利害，琏二叔还和那小姨娘不干净呢。凤婶子那样刚强，瑞大叔还想他的账。那一件瞒了我！』（典故尚多。）贾蓉只管信口开河，胡言乱道，三姐儿沉了脸，早下炕进里间屋里，叫醒尤老娘。

生日过完就是丧事。生死亦大矣。丧事一开始，宁府的加倍腐烂的气息便出来了。宝玉等人的天真文雅的游戏结束了，贾蓉贾珍的下三滥游戏开场了。这也是交替作业，清浊循环，周而复始，天道有定。

这里贾蓉见他老娘醒了，忙去请安问好。又说：『老祖宗劳心，又难为两位姨娘受委屈，我们爷儿们感激不尽。惟有等事完了，我们合家大小登门磕头去。』尤老安人点头道：『我的儿，倒是你会说话，亲戚们原是该的。』又问：『你父亲好？几时得了信赶到的？』贾蓉笑道：『刚才赶到的，先打发我瞧你老人家来了，好歹求你老人家事完了再去。』说着，又和他二姨娘挤眼儿。尤二姐便悄悄咬牙骂道：『很会嚼舌头的猴儿崽子，留下我们给你爹做妈不成！』（红楼二尤一出场，便给读者以另类感，而且没有过程，立即进入了或带来了另类语言、氛围。）

贾蓉又与尤老娘道：『放心罢，我父亲每日为两位姨娘操心，要寻两个有根基又富贵又年轻又俏皮的两位姨父，好聘嫁这二位姨娘。这几年总没拣着，可巧前日路上才相准了一个。』尤老娘只当是真话，忙问：『是谁家的？』尤二姐丢了活计，一头笑，一头赶着打，说：『妈妈，别信这混账孩子的话！』三姐儿道：『蓉儿，你说是说，别只管嘴里这么不清不浑的！』说着，人来回话，说：『事已完了，请哥儿出去看了，回爷的话去呢。』那贾蓉方笑嘻嘻的出来。不知如何，且看下回分解。

寿怡红群芳夜宴，是『红』的青年联欢活动的谢幕之作。天鹅将死，吉兆亦悲，青春其萎，欢声转哀，陡然一个贾敬之死，从此贾府的腐烂衰亡过程，进入了新的回旋加速阶段。

第六十四回　幽淑女悲题五美吟　浪荡子情遗九龙佩

话说贾蓉见家中诸事已妥，连忙赶至寺中，回明贾珍。于是连夜分派各项执事人役，并预备一切应用幡杠等物，择于初四日卯时请灵柩进城；一面使人知会诸位亲友。是日丧仪焜耀，宾客如云，自铁槛寺至宁府，夹路看的何止数万人。内中有嗟叹的，也有羡慕的，又有一等『半瓶醋』的读书人，说是丧礼与其奢易，莫若俭戚的，一路纷纷议论不一。（通过『「半瓶醋」的读书人』之口，对贾敬丧事有所微词，这是一种极聪明的写法，作者不表态，由读者分析问题在于『半瓶醋』还是在于丧礼奢易。）至未申时方到，将灵柩停放正堂之内，供奠举哀已毕，亲友渐次散回，只剩族中人分理迎宾送客等事。近亲只有邢舅太爷相伴未去。（写得简略还是办得简略？远无秦氏葬礼的气派。）

贾珍贾蓉此时为礼法所拘，不免在灵旁籍草枕块，恨苦居丧；人散后，仍乘空寻他小姨子们厮混。宝玉亦每日在宁府穿孝，至晚人散，方回园里。凤姐身体未愈，虽不能时常在此，或遇开坛诵经亲友上祭之日，亦扎挣过来相帮尤氏料理。

（「红」中生日做了不知多少次，一次几乎比一次红火。丧事这是第二次，却写不出多少风光来了。）

一日，供毕早饭，因此时天气尚长，贾珍等连日劳倦，不免在灵旁假寐。宝玉见无客至，遂欲回家看视黛玉，因先回至怡红院中。进入门来，只见院中寂静无人，有几个老婆子与小丫头们在回廊下取便乘凉，也有睡卧的，也有坐着打盹的。宝玉也不去惊动。只有四儿看见，连忙上前来打帘子。将掀起时，只见芳官自内带笑跑出，几乎与宝玉撞个满怀。一见宝玉，方含笑站着，说道：『你怎么来了？你快与我拦住晴雯，他要打我呢。』一语未了，只听得屋里唏嚦哗喇的乱响，不知是何物撒了一地。随后晴雯赶来骂道：『我看你这小蹄子往那里去，输了不叫打。宝玉不在家，我看你有谁来救你。』宝玉连忙带笑拦住，道：『你妹子小，不知怎么得罪了你，看我的分上，饶他罢。』

晴雯也不想宝玉此时回来，乍一见，不觉好笑，遂笑说道：『芳官竟是个狐狸精变的，竟是会拘神遣将的，符咒也没有这样快！』又笑道：『就是你真请了神来，我也不怕。』遂夺手仍要捉拿芳官。芳官早已藏在宝玉身后，宝玉遂一手拉了晴雯，一手携了芳官，进入屋内。（芳官是个天真无邪娇纵的小精灵。秋纹、碧痕等等对于企图『上进』的无名小辈本来是嫉压有加的，而芳官居然不久便与她们几乎平起平坐乃至超出了，不凡。）看时，只见西边炕上麝月、秋纹、碧痕、春燕等正在那里抓子儿赢瓜子儿呢。却是芳官输与晴雯，芳官不肯叫打，跑了出去，晴雯因赶芳官，将怀内的子儿撒了一地。（本是游戏儿童，却又陷入种种纠纷苦恼。）宝玉欢喜道：『如此长天，我不在家，正怕你们寂寞，吃了饭睡觉，睡出病来。大家寻件事玩笑消遣甚好。』因不见袭人，又问道：『你袭人姐姐呢？』晴雯道：『袭人么？越发道学了，独自个在屋里面壁呢。这好一会我们没进去，不知他做什么呢，一些声气也听不见。你快瞧瞧去罢！或者此时参悟了，也不可定。』

宝玉听说，一面笑，一面走至里间，只见袭人坐在近窗床上，手中拿着一根灰色绦子，正在那里打结子呢，见宝玉进来，连忙站起，笑道：『晴雯这东西，编派我什么呢？我因要赶着打完了这结子，没工夫和他们瞎闹，因哄他道：「你们玩去罢。趁着二爷不在家，我要在这里静坐一坐，养一养神。」他就编派了我这些混话，什么「面壁了」「参禅了」的。等一会我不撕他那嘴。』（这里众丫头的气氛还是不错的：团结、祥和、活泼。袭人的表现，总是高一筹。）

宝玉笑着，挨近袭人坐下，瞧他打结子，问道：『这么长天，你也该歇息歇息，或和他们玩笑，要不瞧瞧林妹妹去也好。怪热的打这个，那里使？』袭人道：『我见你带的扇套，还是那年东府里蓉大奶奶的事情上做的。（有意提醒人们回忆那起丧事。）那个青东西，除族中或亲友家夏天有丧事才带得着，一年遇着带一两遭，平常又不犯做；如今那府里有事，这是要过去天天带的，所以我赶着另作一个，等打完了结子，给你换下那旧的来。你虽然不讲究这个，要叫老太太回来看见，又该说我们躲懒，连你的穿带之物都不经心了。』宝玉笑道：『这真难为你想的到。只是也不可过于赶，热着了，倒是大事。』（有点『相敬如宾』的意思。）

说着，芳官早托了一杯凉水内新湃的茶来。（芳官已是近侍了。回想小红为之倒茶，受到何等打击？）因宝玉素昔秉赋柔脆，虽暑月不敢用冰，只以新汲井水，将茶连壶浸在盆内，不时更换，取其凉意而已。宝玉就芳官手内吃了半盏，遂向袭人道：『我来时，已吩咐了焙茗，若珍大哥那边有要紧的客来时，叫他即刻送信；若无要紧的事，我就不过去了。』说毕，遂出了房门，又回头向碧痕等道：『如有事，往林姑娘处来找我。』

于是一径往潇湘馆来看黛玉。将过了沁芳桥，只见雪雁领着两个老婆子，手中都拿着菱藕瓜果之类。宝玉忙问雪雁道：『你们姑娘从来不吃这些凉东西，拿这些瓜果何用？不是要请那位姑娘奶奶么？』雪雁笑道：『我告诉你，可不许你对姑娘说去。』宝玉点头应允。雪雁便命两个婆子：『先将瓜果送去，交与紫鹃姐姐，他要问我，你就说我做什么呢，就来。』那婆子答应着去了。雪雁方说道：『我们姑娘这两日方觉身上好些了，今日饭后，三姑娘来会着要瞧二奶奶去，姑娘也没去，又不知想起了什么来，自己哭了一回，（黛玉叫做『多愁善感』，再过一分便是『无事生非』。）提笔写了好些，不知是诗是词。叫我传瓜果去时，又听叫紫鹃将屋内摆着的小琴桌上的陈设搬下来，将桌子挪在外间当地，又叫将那龙文鼎放在桌上，等瓜果来时听用。若说是请人呢，不犯先忙着把个炉摆出来；若说点香呢，我们姑娘素日屋内除摆新鲜花果木瓜之类，又不大喜熏衣服。就是点香，也当点在常坐卧之处。难道是老婆子们把屋子熏臭了，要拿香熏熏不成？究竟连我也不知何故。』说毕，便连忙的去了。

宝玉这里，不由的低头心内细想道：『据雪雁说来，必有原故。若是同那一位姊妹们闲坐，亦不必如此先设馔具，或者是姑爹姑妈的忌辰？但我记得每年到此日期，老太太都吩咐另外整理肴馔送去林妹妹私祭，此时已过。大约必是七月，因为瓜果之节，家家都上秋季的坟，林妹妹有感于心，所以在私室自己奠祭，取《礼记》：「春秋荐其时食」之意，也未可定。但我此刻走去，见他伤感，必极力劝解，又怕他烦恼郁结于心；若竟不去，又恐他过于伤感，无人劝止：两件皆足致疾。莫若先到凤姐姐处一看，在彼稍坐即回。如若见林妹妹伤感，再设法开解。既不至使其过悲，哀痛稍申，亦不至抑郁致病。』（宝玉想得过细。心理医学，不无道理，亦取中庸之道。）

想毕，遂出了园门，一径到凤姐处来。正有许多执事婆子们回事毕，纷纷散出，凤姐儿正倚着门和平儿说话呢。一见了宝玉，笑道：『你回来了么。我才吩咐了林之孝家的，叫他使人告诉跟你的小厮，若没什么事，趁便请你回来歇息歇息。再者那里人多，你那里禁得住那些气味。（中国人那时不懂传染病学，但直觉地判定人杂的地方『气味』不好，有道理。）不想恰好你倒来了。』宝玉笑道：『多谢姐姐记挂。我也因今日没事，又见姐姐这两日没往那府里去，不知身上可大愈否，所以回来看视看视。』凤姐道：『左右也不过是这样，三日好，两日不好的。老太太、太太不在家，这些大娘们，嗳，那一个是安分的？每日不是打架，就是拌嘴，连赌博偷盗的事情都闹出来了两三件了。（奔丧、居丧、生病本属正常事，但贾府之颓败已经不住任何事了。）虽说有三姑娘帮着办理，他又是个没出阁的姑娘，也有叫他知道得的，也有往他说不得的事，也只好强扎挣着罢了。总不得心静一会儿！别说想病好，求其不添，也就罢了。』（凤姐身体一直不见好。）

宝玉道：『姐姐虽如此说，姐姐还要保重身体，少操些心才是。』说毕，又说了些闲话，别了凤姐，一直往园中走来。进了潇湘馆院门看时，只见炉袅残烟，奠余玉醴，紫鹃正看着人往里收桌子，搬陈设呢。宝玉便知已经奠祭完了，走入屋内，只见黛玉面向里歪着，病体恹恹，大有不胜之态。紫鹃连忙说道：『宝二爷来了。』黛玉方慢慢的起来，含笑让坐。宝玉道：『妹妹这两天可大好些了？气色倒觉静些，只是为何又伤心了？』黛玉道：『可是你没的说了，好好的，我多早晚又伤心了？』宝玉笑道：『妹妹脸上现有泪痕，如何还哄我呢。只是我想妹妹素日本来多病，凡事当各自宽解，不可过作无益之悲。若作践坏了身子，使我……』刚说到这里，觉得以下的话有些难说，连忙咽住。（有些话是不要说出的，有些则必须说出，有些是不能说出的，有些是等着说出，一旦说出却又要打回去的。说出云云，学问大矣！）只因他虽说和黛玉一处长大，情投意合，又愿同生死，却是只心中领会，从来未曾当面说出，况兼黛玉心多，每每说话造次，得罪了他。今日原为的是来劝解，不想把话又说造次了，接不下去，心中一急，又怕黛玉恼他；又想一想自己的心，实在的是为好，因而转念为悲，早已滚下泪来。黛玉起先原恼宝玉说话不论轻重，如今见此光景，心有所感，本来素昔爱哭，此时亦不免无言对泣。（无言对泣：黛玉还泪的过程中，又欠下了新泪。泪是还不完的啊！）

却说紫鹃端了茶来，打量二人又为何事口角，因说道：『姑娘身上才好些，宝二爷又来怄气了。到底是怎么样？』宝玉一面拭泪，笑道：『谁敢怄妹妹了？』一面搭讪着起来闲步，只见砚台底下微露一纸角，不禁伸手拿起。黛玉忙要起身来夺，已被宝玉揣在怀内，笑央道：『好妹妹，赏我看看罢。』黛玉道：『不管什么，来了就混翻。』

一语未了，只见宝钗走来，（『宝钗走来』四字十分突兀，竟像是『此处略』一般。）笑道：『宝兄弟要看什么？』宝玉因未见上面是何言词，又不知黛玉心中如何，未敢造次回答，却望着黛玉笑。黛玉一面让宝钗坐，一面笑道：『我

曾见古史中有才色的女子，终身遭际，令人可欣、可羡、可悲、可叹者甚多，今日饭后无事，因欲择出数人，胡乱凑几首诗，以寄感慨，可巧探丫头来会我瞧凤姐姐去，我也身上懒懒的，没同他去，才将做了五首，一时困倦起来，撂在那里，不想二爷来了，就瞧见了。其实给他看也倒没有什么，但只我嫌他是不是的写给人看去。』（『是不是的』中的『是』，是作为不定代词用的，犹言『咋不咋的』，『满是价』『饶是价』亦是如此，今作『满世界』『绕世界』，非。）宝玉忙道：『我多早晚给人看来呢？昨日那把扇子，原是我爱那几首白海棠的诗，所以我自己用小楷写了，不过为的是拿在手中看着便易。我岂不知闺阁中诗词字迹是轻易往外传诵不得的？（处处都是约束，令人喘不过气来。）自从你说了我，总没拿出园子去。』宝钗道：『林妹妹这虑的也是。你既写在扇子上，偶然忘记了，拿在书房里去，被相公们看见了，岂有不问是谁做的呢。倘或传扬开了，反为不美。自古道「女子无才便是德」，总以贞静为主，女工还是第二件。其余诗词，不过是闺中游戏，原可以会，可以不会。咱们这样人家的姑娘，倒不要这些才华的名誉。』因又笑向黛玉道：『拿出来给我看看无妨，只不叫宝兄弟拿出去就是了。』（先贬一顿，再要来看，未免占得大全。）黛玉笑道：『既如此说，连你也可以不必看了。』（连你也不必看云云，有某些不满之意。）又指着宝玉笑道：『他早已抢了去了。』宝玉听了，方自怀内取出，凑至宝钗身旁，一同细看。只见写道：

西施

一代倾城逐浪花，吴宫空自忆儿家；
效颦莫笑东村女，头白溪边尚浣纱。

虞姬

肠断乌啼夜啸风，虞兮幽恨对重瞳；

黥彭甘受他年醢，饮剑何如楚帐中？（虞姬自刎与黥彭命运不好比较。）

明妃

绝艳惊人出汉宫，红颜命薄古今同；（在红颜薄命的陈词下，多少有一点对女性命运的叹息。）

君王纵使轻颜色，予夺权何畀画工？

绿珠

瓦砾明珠一例抛，何曾石尉重娇娆？

都缘顽福前生造，更有同归慰寂寥。

红拂

长剑雄谈态自殊，美人巨眼识穷途；

尸居余气杨公幕，岂得羁縻女丈夫？

宝玉看了，赞不绝口，（插进一段五美吟，未见十分佳妙。颇觉可有可无。几首诗平平，何至赞不绝口？）又说道：『妹妹这诗，恰好只做了五首，何不就命曰「五美吟」？』于是不容分说，便提笔写在后面。宝钗亦说道：『做诗不论何题，只要善翻古人之意。（为翻而翻，亦非大道。）若要随人脚踪走去，纵使字句精工，已落第二艺，究竟算不得好诗。

即如前人所咏昭君之诗甚多，有悲挽昭君的，有怨恨延寿的，又有讥汉帝不能使画工图貌贤臣而画美人的，纷纷不一。后来王荆公复有「意态由来画不成，当时枉杀毛延寿」，永叔有「耳目所见尚如此，万里安能制夷狄」：二诗俱能各出己见，不与人同。今日林妹妹这五首诗，亦可谓命意新奇，别开生面了。』（宝钗这一段话大模大样。）仍欲往下说时，只见有人回道：『琏二爷回来了。适才外间传说，往东府里去了好一会了，想必就回来的。』宝玉听了，连忙起身，迎至大门以内等待，恰好贾琏自外下马进来。于是宝玉先迎着贾琏跪下，口中给贾母王夫人等请了安，又给贾琏请了安。二人携手走进来。只见李纨、凤姐、宝钗、黛玉、迎、探、惜等早在中堂等候，相见已毕。因听贾琏说道：『老太太明日一早到家，一路身体甚好。今日先打发了我来回家看视，明日五更，仍要出城迎接。』说毕，众人又问了些路途的景况。因贾琏是远归，遂大家别过，让贾琏回房歇息。一宿晚景，不必细述。

至次日饭时前后，果见贾母王夫人等到来。众人接见已毕，略坐了一坐，吃了一杯茶，便领了王夫人等人过宁府中来，只听见里面哭声震天，却是贾赦贾琏送贾母到家，即过这边来了。当下贾母进入里面，早有贾赦贾琏率领族中人哭着迎了出来。他父子一边一个，挽了贾母，走至灵前，又有贾珍贾蓉跪着，扑入贾母怀中痛哭。（亦真亦假，亦情亦做。）贾母暮年人，见此光景，亦搂了珍蓉等痛哭不已。贾赦贾琏在旁苦劝，方略略止住。又转至灵右，见了尤氏婆媳，不免又相持大痛一场。（在死神面前，痛哭不已，固相宜也。）哭毕，众人方上前，一一请安问好。贾珍因贾母才回家来，未得歇息，坐在此间看着，未免要伤心，遂再三的劝；贾母不得已，方回来了。果然年迈的人，禁不住风霜伤感，至夜间便觉头闷心酸，鼻塞声重，连忙请了医生来诊脉下药，足足的忙乱了半夜一日。（贾母之病，不排除躲避贾敬白事的因素。）幸而发散的快，未曾传经，至三更天，些须发了点汗，脉静身凉，大家方放了心。至次日，仍服药调理。又过了数日，乃贾敬送殡之期，贾母犹未大愈，遂留宝玉在家侍奉。凤姐因未曾甚好，亦未去。其余贾赦、贾琏、邢夫人、王夫人等，率领家人仆妇，都送至铁槛寺，至晚方回。贾珍尤氏并贾蓉仍在寺中守灵，等过百日后，方扶柩回籍。（贾敬生时讨嫌，死后亦降格处理。）家中仍托尤老娘并二姐儿三姐儿照管。

却说贾琏素日既闻尤氏姐妹之名，恨无缘得见；近因贾敬停灵在家，每日与二姐儿三姐儿相认已熟，不禁动了垂涎之意。况知与贾珍贾蓉等素日有聚麀之诮，因而乘机百般撩拨，眉目传情。那三姐儿却只是淡淡相对，只有二姐儿也十分有意，但只是眼目众多，无从下手。贾琏又怕贾珍吃醋，不敢轻动，只好二人心领神会而已。（成语妙用。现今『心领神会』四字绝少用在男女调情上。）此时出殡以后，贾珍家下人少，除尤老娘带领二姐儿三姐儿并几个粗使的丫鬟老婆子在正室居住外，其余婢妾都随在寺中；外面仆妇，不过晚间巡更，日间看守门户，白日无事，亦不进里面去。所以贾琏便欲趁此时下手，遂托相伴贾珍为名，亦在寺中住宿，又时常借着替贾珍料理家务，不时至宁府中来勾搭二姐儿。

一日有小管家俞禄来回贾珍道：『前者所用棚杠孝布并请杠人青衣，共使银一千一百十两，除给银五百两外，仍欠六百零十两。昨日两处买卖人俱来催讨，奴才特来讨爷的示下。』贾珍道：『你且向库上领去就是了，这又何必来回我。』俞禄道：『昨日已曾上库上去领，但只是老爷宾天以后，各处支领甚多，所剩还要预备百日

道场及庙中用度，此时竟不能发给，所以奴才今日特来回爷，或者爷内库里暂且发给，或者挪借何项，吩咐了，奴才好办。』贾珍笑道：『你还当是先呢，有银子放着不使。你无论那里借了给他罢。』俞禄笑回道：『若说一二百，奴才还可巴结；这五六百，奴才一时那里办得来？』（财政已是捉襟见肘，几近穷途末路。可见贾府每况愈下，呼剌喇大厦将倾。）贾珍想了一回，向贾蓉道：『你问你娘去，昨日出殡以后，有江南甄家送来打祭银五百两，未曾交到库上去，家里再找找，凑齐了，给他去罢。』贾蓉答应了，连忙过这边来，回了尤氏，复转来回他父亲道：『昨日那项银子已使了二百两，下剩的三百两，令人送至家中，交与老娘收了。』贾珍道：『既然如此，你就带了他去，向你老娘要了出来，交给他。再也瞧瞧家中有事无事，问你两个姨娘好。下剩的，俞禄先借了添上罢。』

贾蓉与俞禄答应了，方欲退出，只见贾琏走了进来，俞禄忙上前请了安，贾琏便问：『何事？』贾珍一一告诉了。贾琏心中想道：『趁此机会，正可至宁府寻二姐儿。』（贾琏行事，以偷鸡摸狗为纲。）一面遂说道：『这有多大事，何必向人借去？昨日我方得了一项银子，还没有使呢，莫若给他添上，岂不省事？』贾珍道：『如此甚好，你就吩咐了蓉儿，一并令他取去。』贾琏忙道：『这必得我亲自取去。再我这几日没回家了，还要给老太太、老爷、太太们请请安去；到大哥那边查查家人们有无生事，再也给亲家太太请请安。』贾珍笑道：『只是又劳动你，我心里倒不安。』贾琏也笑道：『自家兄弟，这有何妨呢？』贾珍又吩咐贾蓉道：『你跟了你叔叔去，也到那边给老太太、老爷、太太们请安，说我和你娘都请安。打听打听老太太身上可大安了，还服药呢没有。』

贾蓉一一答应了，跟随贾琏出来，带了几个小厮，骑上马，一同进城。在路叔侄闲话，贾琏有心，便提到尤

二姐，因夸说如何标致，如何做人好；『举止大方，言语温柔，无一处不令人可敬可爱。人人都说你婶子好，据我看，那里及你二姨儿一零儿呢！』贾蓉揣知其意，便笑道：『叔叔既这么爱他，我给叔叔作媒，说了做二房何如？』贾琏笑道：『你这是玩话，还是正经话？』贾蓉道：『我说的是当真的话。』贾琏又笑道：『敢自好，只是怕你婶子不依；再也怕你老娘不愿意。况且我听见说你二姨儿已有了人家了。』贾蓉道：『这都无妨。我二姨儿三姨儿，都不是我老爷养的，原是我老娘带了来的。（看来尤氏亦非大家出身。如何『混入』宁府的呢？）听见说，我老娘在那一家时，就把我二姨儿许给皇粮庄头张家，指腹为婚。后来张家遭了官司，败落了，我老娘又自那家嫁了出来，如今这十数年，两家音信不通。我老娘时常抱怨，要给他家退婚。我父亲也要将姨儿转聘，只等有了好人家，不过令人找着张家，给他十几两银子，写上一张退婚的字儿。想张家穷极了的人，见了银子，有什么不依的。再他也知道咱们这样的人家，也不怕他不依。又是叔叔这样人说了做二房，我管保我老娘和我父亲都愿意。倒只是婶子那里却难。』

贾琏听到这里，心花都开了，那里还有什么话说，只是一味呆笑而已。（只有一味呆笑，进入无差别白痴状态了。）贾蓉又想了一想，笑道：『叔叔若有胆量，依我的主意，管保无妨，不过多花几个钱。』贾琏忙道：『好孩子，你有什么主意，只管说给我听听。』贾蓉道：『叔叔回家，一点声色也别露。等我回明了我父亲，向我老娘说妥，然后在咱们府后方近左右，买上一所房子及应用家伙，再拨两窝子家人过去服侍，择了日子，人不知，鬼不觉，娶了过去，嘱咐家人不许走漏风声，婶子在里面住着，深宅大院，那里就得知道了？（先搞个据点，再徐图由远及近，由外及内，由暗及明。）叔叔两下里住着，过个一年半载，即或闹出来，不过挨上老爷一顿骂。叔叔只说婶子总不生育，原是为子嗣起见，所以私自在外面作成此事。就是婶子，见『生米做成熟饭』，也只得罢了。再求一求老太太，没有不完的事。』（第一是希图侥幸，第二是生米煮成熟饭，那就什么都可以做了。）

自古道『欲令智昏』。贾琏只顾贪图二姐美色，听了贾蓉一篇话，遂为计出万全，将现今身上有服，并停妻再娶，严父妒妻，种种不妥之处，皆置之度外了。却不知贾蓉亦非好意：素日因同他姨娘有情，只因贾珍在内，不能畅意；如今若是贾琏娶了，少不得在外居住，趁贾琏不在时，好去鬼混之意。（通同作弊，狼狈为奸，一丘之貉。）贾琏那里思想及此？遂向贾蓉致谢道：『好侄儿！你果然能够说成了，我买两个绝色的丫头谢你。』说着，已至宁府门首，贾蓉说道：『叔叔进去向我老娘要出银子来，就交给俞禄罢。我先给老太太请安去。』贾琏含笑点头道：『老太太跟前，别说我和你一同来的。』贾蓉说：『知道。』又附耳向贾琏道：『今日要遇见二姨儿，可别性急了，闹出事来，往后倒难办了。』贾琏笑道：『少胡说！你快去罢。我在这里等你。』（这样的叔侄关系！）于是贾蓉自去给贾母请安。

贾琏进入宁府，早有家人头儿率领家人等请安，一路围随至厅上，贾琏一一的问了些话，不过塞责而已，便命家人散去，独自往里面走来。原来贾琏贾珍素日亲密，又是弟兄，本无可避忌之人，自来是不等通报的。于是走至上房，早有廊下伺候的老婆子打起帘子让贾琏进去。贾琏进入房中一看，只见南边炕上只有尤二姐带着两个丫鬟一处做活，却不见尤老娘与三姐儿。贾琏忙上前问好相见。尤二姐含笑让坐，便靠东边排插儿坐下。贾琏仍将上首让与二姐儿，说了几句见面情儿，便笑问道：『亲家太太合三妹妹那里去了？怎么不见？』尤二姐笑道：『才有事往后头去了，也就来的。』此时伺候的丫鬟因倒茶去，无人在跟前，贾琏不住的拿眼瞟着二姐儿。二姐儿低了头，只含笑不理。（这种表情应是两厢情愿。）贾琏又不敢造次动手动脚，因见二姐儿手中拿着一条拴着荷包的绢子摆弄，便搭讪着，往腰里摸了摸，说道：『槟榔荷包也忘记了带了来，妹妹有槟榔，赏我一口吃。』二姐道：『槟榔倒有，就只是我的槟榔从来不给人吃。』

贾琏便笑着，欲近身来拿。二姐儿怕有人来看见不雅，便连忙一笑，撂了过来。贾琏接在手中，都倒了出来，拣了半块吃剩下的，撂在口中吃了，又将剩下的都揣了起来。（这套调情方略，实在贫乏可怜。一是文化素质问题，一是性观念问题。一面将性视为肮脏罪恶，一面又迷恋贪婪不舍，于是只能做贼弄鬼，没有男女情感中的美好情操与丰富交往。）刚要把荷包亲身送过去，只见两个丫鬟倒了茶来。贾琏一面接了茶吃茶，一面暗将自己带的一个汉玉九龙佩解了下来，拴在手绢上，趁丫鬟回头时，仍撂了过去。二姐儿亦不去拿，只装看不见，坐着吃茶。只听后面一阵帘子响，却是尤老娘三姐儿带着两个小丫鬟自后面走来。贾琏送目与二姐儿，令其拾取，这尤二姐亦只是不理。贾琏不知二姐儿何意，甚实着急，只得迎上来与尤老娘三姐儿相见。一面又回头看二姐儿时，只见二姐儿笑着，没事人似的；再又看一看，绢子已不知那里去了，贾琏方放了心。（默契配合，恰到好处。）

于是大家归坐后叙了些闲话。贾琏说道：『大婶子说，前日有一包银子交给亲家太太收起来了，今日因要还人，大哥令我来取，再也看看家里有事无事。』尤老娘听了，连忙使二姐儿拿钥匙去取银子。这里贾琏又说道：『我也要给亲家太太请请安，瞧瞧二位妹妹。亲家太太脸面倒好，只是二位妹妹在我们家里受委屈。』（本是正常

亲情，言语一过就显出了邪气。）尤老娘笑道：『咱们都是至亲骨肉，说那里的话？在家里也是住着，在这里也是住着。不瞒二爷说，我们家里，自从先夫去世，家计也着实艰难了，全亏了这里姑爷帮助。如今姑爷家里有了这样大事，我们不能别的出力，白看一看家，还有什么委屈了的呢？』（『白看一看』云云，只如嘲讽一般。许多人的言语客观上在挖苦自己、『搞笑』自己。）

正说着，二姐儿已取了银子来，交与尤老娘；老娘便递与贾琏。贾琏叫一个小丫头叫了一个老婆子来，吩咐他道：『你把这个交给俞禄，叫他拿过那边去等我。』老婆子答应了出去。只听得院内是贾蓉的声音说话。须臾进来，给他老娘姨娘请了安，又向贾琏笑道：『才刚老爷还问叔叔呢，说是有什么事情要使唤，原要使人到庙里去叫，我回老爷说，「叔叔就来」。老爷还吩咐我，路上遇着叔叔，叫快去呢。』

贾琏听了，忙要起身，又听贾蓉和他老娘说道：『那一次我和老太太说的，我父亲要给二姨儿说的姨父，就和我这叔叔的面貌身量差不多儿。老太太说好不好？』一面说着，又悄悄的用手指着贾琏，和他二姨儿努嘴。二姐儿倒不好意思说什么，只见三姐儿似笑非笑、似恼非恼的骂道：『坏透了的小猴儿崽子！没了你娘的说了！多早晚我才撕他那嘴呢！』（人有三六九等，语言动作表情应对，自也有三六九等。）贾蓉早笑着跑了出去，贾琏也笑着辞了出来。走至厅上，又吩咐了家人们，不可要钱吃酒等话；又悄悄的央贾蓉，回去急速和他父亲说。一面便带了俞禄过来，将银子添足，交给他拿去。一面给贾赦请安，又给贾母去请安，不提。

却说贾蓉见俞禄跟了贾琏去取银子，自己无事，便仍回至里面，和他两个姨娘嘲戏一回，方起身。（『嘲戏』

云云，实下作得很。）至晚到寺，见了贾珍，回道：『银子已竟交给俞禄了。老太太已大愈了，如今已经不服药了。』说毕，又趁便将路上贾琏要娶尤二姐做二房之意说了，又说如何在外面置房子住，不使凤姐知道，『此时总不过为的是子嗣艰难起见，为的是二姨儿是见过的，亲上做亲，比别处不知道的人家说了来的好。所以二叔再三央我对父亲说。』只不说是他自己的主意。（事事都有猫儿腻，故都要留一手。）

贾珍想了想，笑道：『其实倒也罢了，只不知你二姨娘心中愿意不愿意。明日你先去和你老娘商量，叫你老娘问准了你二姨娘，再作定夺。』于是又教了贾蓉一篇话，便走过来，将此事告诉了尤氏。尤氏却知此事不妥，因而极力劝止。无奈贾珍主意已定，素日又是顺从惯了的，况且他与二姐儿本非一母，不便深管，因而也只得由他们闹去了。（前面描写的尤氏，并非软弱之人，她主办凤姐的祝寿活动，也很有主张。为何此事竟一无作用？是否她潜意识里也有对凤姐的不满，想通过尤二姐最终取而代之呢？）

至次日一早，果然贾蓉复进城来见他老娘，将他父亲之意说了，又添上许多话，说贾琏做人如何好，目今凤姐身子有病，已是不能好的了，暂且买了房子，在外面住着，过个一年半载，只等凤姐一死，便接了二姨儿进去做正室。又说他父亲此时如何聘，贾琏那边如何娶，如何接了你老人家养老，往后三姨儿也是那边应了替聘，说得天花乱坠，不由得尤老娘不肯。（因邪及邪，相生更邪。）况且素日全亏贾珍周济，此时又是贾珍作主替聘，而且妆奁不用自己置买；贾琏又是青年公子，强胜张家，遂忙过来与二姐儿商议。二姐儿又是水性人儿，在先已和姐夫不妥，又常怨恨当时错许张华，致使后来终身失所，今见贾琏有情，况是姐夫将他聘嫁，有何不肯？也便点头依允。当下回复了。

贾蓉回了他父亲，次日命人请了贾琏到寺中来，贾珍当面告诉了他尤老娘应允之事。贾琏自是喜出望外，感谢贾珍贾蓉父子不尽。于是二人商量着，使人看房子，打首饰，给二姐儿置买妆奁，及新房中应用床帐等物。不过几日，早将诸事办妥，已于宁荣街后二里远近小花枝巷内买定一所房子，共二十余间；又买了两个小丫鬟。只是府里家人不敢擅动，外头买人又怕不知心腹，走漏了风声，忽然想起家人鲍二来。当初因和他女人偷情，被凤姐儿打闹了一阵，含羞吊死了，贾琏给了二百银子，叫他另娶一个。（利用矛盾，利用主要对立面的对立面。）那鲍二向来却就合厨子多浑虫的媳妇多姑娘有一手儿，后来多浑虫酒痨死了，这多姑娘儿见鲍二手里从容了，便嫁了鲍二。况且这多姑娘儿原也和贾琏好的，此时都搬出外头住着。（贾琏、鲍二，共妻鲍二家的与多姑娘。）贾琏一时想起来，便叫了他两口儿到新房子里来，预备二姐儿过来时伏侍。那鲍二两口子听见这个巧宗儿，如何不来呢？（各种事宜中都有『巧宗儿』，这是机会主义的客观依据。留下后遗症，留下伏笔。）

再说张华之祖，原当皇粮庄头，后来死去，至张华父亲时，仍充此役。因与尤老娘前夫相好，所以将张华与尤二姐指腹为婚。后来不料遭了官司，败落了家产，弄得衣食不周，那里还娶得起媳妇呢？尤老娘又自那家嫁了出来，两家有十数年音信不通。今被贾府家人唤至，逼他与二姐儿退婚，心中虽不愿意，无奈惧怕贾珍等势焰，不敢不依，只得写了一张退婚文约。尤老娘与了二十两银子，两家退亲不提。

这里贾琏等见诸事已妥，遂择了初三黄道吉日，以便迎娶二姐儿过门。下回分解。（林黛玉吟咏完了历史上的名女子，再让读者面对一下现实中尤二、三姐这等女性。这样的结构，有深意乎？）琏及珍蓉，固是滥淫之徒。琏与尤二姐的婚事安排，不无宁府孤立凤姐乃至觊觎凤姐位置的客观含义。曹公好身手，小说过半，才给宁府的一些人、事派上了用场，纳入了凤姐兴废的主线中去。好比是一支预备队，终于起用了。驾驭统帅诗人诸事，曹公真帅才也。

灭亡的过程也很丰满，卑鄙者享受卑鄙，清冷者咀嚼清冷，狗男女们丑态毕露，炼仙丹者死于结石，自取灭亡者犹自闹热……

第六十五回　贾二舍偷娶尤二姨　尤三姐思嫁柳二郎

话说贾琏、贾珍、贾蓉等三人商议，事事妥贴，（事事妥帖云云，不是讽刺吗？三姐有何反应？是不是也成了同伙？）至初二日，先将尤老娘和三姐儿送入新房。尤老娘看了一看，虽不似贾蓉口内之言，倒也十分齐备，母女二人，已算称了心愿。鲍二两口子见了，如一盆火儿，赶着尤老娘一口一声叫『老娘』，又或是『老太太』；赶着三姐儿叫『三姨儿』，或是『姨娘』。至次日五更天，一乘素轿，将二姐儿抬来，各色香烛纸马，并铺盖以及酒饭，早已预备得十分妥当。一时，贾琏素服坐了小轿来了，拜过了天地，焚了纸马。那尤老娘见了二姐儿身上头上，焕然一新，不似在家模样，十分得意。（十分得意带来百分灾难。）搀入洞房。是夜贾琏同他颠鸾倒凤，百般恩爱，不消细说。（百般恩爱带来万事成灰。）

那贾琏越看越爱，越瞧越喜，不知要怎么奉承这二姐儿才过得去，乃命鲍二等人不许提三说二，直以『奶奶』称之；（这样的习惯一直保存下来，如对副科长也一律称之为科长。）自己也称『奶奶』，竟将凤姐一笔勾倒。有时回家，只说在东府有事。凤姐因知他和贾珍好，有事相商，也不疑心。家下人虽多，都也不管这些事。便有那游手好闲、专打听小事的人，也都去奉承贾琏，乘机讨些便宜，谁肯去露风。于是贾琏深感贾珍不尽。贾琏一月出十五两银子，做天天的供给。（有补贴标准。雪芹写人生，从不避讳『算经济账』。）若不来时，他母女三人一处吃饭；若贾琏来，他夫妻二人一处吃，他母女便回房自吃。贾琏又将自己积年所有的体己，一并搬来与二姐儿收着；又将凤姐儿素日之为人行事，枕边衾里，尽情告诉了他。只等一死，便接他进去。二姐儿听了，自然是愿意的了。（一厢情愿，自取灭亡。）当下十来个人，倒也过起日子来，十分丰足。

眼见已是两月光景，这日贾珍在铁槛寺做完佛事，晚间回家时，与他姊妹久别，竟要去探望探望。先命小厮去打听贾琏在与不在。（肚里有鬼。）小厮回来，说：『不在那里。』贾珍欢喜，将家人一概先遣回去，只留两个心腹小童牵马。一时，到了新房子里，已是掌灯时候，悄悄进去。两个小厮将马拴在圈内，自往下房去听候。贾珍进来，屋里才点灯，先看过尤氏母女，然后二姐儿出来相见。贾珍见了二姐儿，满脸的笑容，一面吃茶，一面笑说：『我做的保山如何？要错过了，打着灯笼还没处寻，过日你姐姐还备礼来瞧你们呢。』（故意说得轻巧。）

说话之间，二姐儿已命人预备下酒馔，关起门来。都是一家人，原无避讳。那鲍二来请安，贾珍便说：『你还是个有良心的，所以二爷叫你来伏侍。日后自有大用你之处，不可在外头吃酒生事，我自然赏你。倘或这里短了什么，你二爷事多，那里人杂，你只管去回我。我们弟兄，不比别人。』鲍二答应道：『小的知道。若小的不尽心，除非不要这脑袋了。』（忠不忠的问题乃是脑袋问题。）贾珍笑着点头道：『要你知道就好。』当下四人一处吃酒。二姐儿此时恐怕贾琏一时走来，彼此不雅，吃了两钟酒便推故往那边去了。贾珍此时也无可奈何，只得看着二姐儿自去。剩下尤老娘和三姐儿相陪。那三姐儿虽向来也和贾珍偶有戏言，但不似他姐姐那样随和儿，所以贾珍虽有垂涎之意，却也不肯造次了，致讨没趣。况且尤老娘在傍边陪着，贾珍也不好意思太露轻薄。

却说跟的两个小厮，都在厨下和鲍二饮酒，那鲍二的女人多姑娘儿上灶。忽见两个丫头也走了来，嘲笑要吃酒，鲍二因说：『姐儿们不在上头伏侍，也偷着来了；一时叫起来没人，又有事。』他女人骂道：『糊涂浑呛了的忘八！你撞丧那黄汤罢。撞丧醉了，夹着你那脑袋挺你的尸去！（『下人』骂起人来，何等痛快淋漓！脑袋怎样夹？）叫不叫，与你什么相干！一应有我承当呢。风啊雨的，横竖淋不到你头上来。』

这鲍二原因妻子之力，在贾琏前十分有脸；近日他女人越发在二姐儿跟前殷勤服侍，他便自己除赚钱吃酒之外，一概不管，一听他女人吩咐，百依百随。当下又吃够了，便去睡觉。（『风气』一坏到底，叫做『烂透了』。）这里女人陪着这些丫鬟小厮吃酒，又和那几个小厮们打牙撂嘴儿的玩笑，讨他们的好，准备在贾珍前讨好儿。四人正在吃的高兴，忽听见扣门的声儿，鲍二的女人忙出来开门看时，见是贾琏下马，问有事无事。鲍二女人便悄悄的告诉他说：『大爷在这里西院里呢。』贾琏听了，便至卧房。见尤二姐和两个小丫头在房中，见他来了，脸上却有些讪讪的。（未免不堪。）贾琏反推不知，只命：『快拿酒来。咱们吃两杯好睡觉，我今日乏了。』二姐儿忙忙陪笑，接衣捧茶，问长问短，贾琏喜的心痒难受。一时，鲍二的女人端上酒来，二人对饮，两个小丫头在地下伏侍。

贾琏的心腹小童隆儿拴马去，瞧见有了一匹马，细瞧一瞧，知是贾珍的，心下会意，也来厨下。只见喜儿寿儿两个正在那里坐着吃酒，见他来了，也都会意，笑道：『你这会子来得巧。我们因赶不上爷的马，恐怕犯夜，往这里来借个地方儿睡一夜。』隆儿便笑道：『我是二爷使我送月银的。交给了奶奶，我也不回去了。』鲍二的女人便道：『咱们这里有的是炕，为什么不大家睡呢？』喜儿便说：『我们吃多了，你来吃一钟。』

隆儿才坐下，端起酒来，忽听马棚内闹将起来。原来二马同槽，不能相容，互蹶蹄起来。（贾珍贾琏倒能相容。）隆儿等慌得忙放下酒杯，出来喝马，好容易喝住，另拴好了进来。鲍二的女人笑说：『你三人就在这里罢，茶也现成了，我可去了。』说着带门出去。这里喜儿喝了几杯，已是楞子眼了。隆儿寿儿关了门，回头见喜儿直挺挺的仰卧炕上，二人便推他说：『好兄弟，起来好生睡。只顾你一个人舒服，我们就苦了。』那喜儿便说道：『咱们今儿可要公公道道贴一炉子烧饼了。』（上下全是流氓痞子。）隆儿寿儿见他醉了，也不便多说，只得吹了灯，将就卧下。

二姐听见马闹，心下着实不安，只管用言语混乱贾琏。那贾琏吃了几杯，春兴发作，便命收了酒果，掩门宽衣。尤二姐只穿着大红小袄，散挽乌云，满脸春色，比白日更增了颜色。贾琏搂着他笑道：『人人都说我们那夜叉婆整齐，如今我看来，给你拾鞋也不要。』二姐儿道：『我虽标致，却无品行，看来倒底是不标致的好。』（说话到位。）贾琏忙说：『如何说这话？我却不懂。』尤二姐滴泪说道：『你们拿我作糊涂人待，什么事我不知道？

我如今和你作了两个月夫妻，日子虽浅，我也知你不是糊涂人。我生是你的人，死是你的鬼，如今既做了夫妻，终身我靠你，岂敢瞒藏一字。我算是有倚有靠了。将来我妹子却如何结果？据我看来，这个形景儿，恐非常策，要作长久之计方可。」

贾琏听了，笑道：「你且放心，我不是那拈酸吃醋的人。你前头的事，我都知道了，你不必惊慌。如今你跟了我来，大哥跟前自然倒要拘起形迹来了。依我的主意，不如叫三姨儿也合大哥成了好事，彼此两无拘束，索性大家作个通家之好。你的意思怎么样？」（真是一帮狗男女。）尤二姐一面拭泪，一面说道：「虽然你有这个好意，头一件，三妹妹脾气不好；第二件，也怕大爷脸上下不来。」贾琏道：「这个无妨。我这会子就过去，索性破了例。」说着走了，便至西院中来，只见窗内灯烛辉煌。贾琏便推门进去，说：「大爷在这里呢，兄弟来请安。」

贾珍听是贾琏的声音，倒唬了一跳，见贾琏进来，不觉羞惭满面，尤老娘也觉不好意思。（连老娘也入了伙。）贾琏笑道：「何必做如此景象，咱们弟兄，从前是如何样来？大哥为我操心，我今日粉身碎骨，感激不尽。大哥若多心，我倒不安了。（情深义长。）从此以后，还求大哥照常方好；不然兄弟宁可绝后，再不敢到此处来了。」说着便要跪下。慌得贾珍连忙搀起，只说：「兄弟怎么说，我无不领命。」（痞子有痞子之义气。）贾琏忙命人：「看酒来，我和大哥吃两杯。」因又笑嘻嘻向三姐儿道：「三妹妹为何不合大哥吃个双钟儿？我也敬一杯，给大哥合三妹妹道喜。」

三姐儿听了这话，就跳起来，站在炕上，指着贾琏冷笑道：「你不用和我『花马掉嘴』的，咱们『清水下杂面，你吃我看』。『提着影戏人子上场儿，好歹别戳破这层纸儿』。你别糊涂油蒙了心，打量我们不知道你府上的事呢！这会子花了几个臭钱，你们哥儿俩，拿着我们姊妹两个权当粉头来取乐儿，你们就打错了算盘了。我也知道你那老婆太难缠，如今把我姐姐拐了来做了二房，『偷来的锣鼓儿打不得』。我也要会会那凤奶奶去，看他是几个脑袋？几只手？若大家好，取和儿便罢；倘若有一点叫人过不去，我有本事先把你两个的牛黄狗宝掏出来，再和那泼妇拚了这条命！喝酒怕什么？咱们就喝！」（强中更有强中手，能人背后有能人！何等豪迈，可惜「壮志未酬身先死」！）说着，自己拿起壶来，斟了一杯，自己先喝了半盏，揪过贾琏来就灌，说：「我倒不曾和你哥哥吃过，今日倒要和你吃一吃，咱们也亲近亲近。」（你下流，我比你更「下流」，你就没有办法了，这在方法论上就是用超极端来压住极端。）吓的贾琏酒都醒了。贾珍也不承望尤三姐这等拉的下脸来。兄弟两个本是风流场中耍惯的，不想今日反被这个闺女一席话说得不能搭言。

尤三姐看了这样，越发一叠声又叫：「将姐姐请来！要乐，咱们四个大家一处乐。俗语说的，『便宜不过当家』，你们是哥哥兄弟，我们是姐姐妹妹，又不是外人，只管上来！」（三姐这段表现，精彩则精彩矣，唯略感突兀。）尤二姐反不好意思起来。贾珍得便就要溜，尤三姐儿那里肯放？贾珍此时反后悔，不承望他是这种人，与贾琏反不好轻薄起来。

这三姐索性卸了妆饰，脱了大衣服，松松的挽个纂儿，身上只穿着大红袄儿，半掩半开，故意露出葱绿抹胸，一痕雪脯；底下绿裤红鞋，鲜艳夺目。忽起忽坐，忽喜忽嗔，没半刻斯文。两个坠子就和打秋千一般，灯光之下越显得柳眉笼翠，檀口含丹。本是一双秋水眼，再吃了几杯酒，越发横波入鬓，转盼流光。真把那珍琏二人弄的欲近不敢，欲远不舍，迷离恍惚，落魄垂涎。再加方才一席话，直将二人禁住。弟兄两个竟全然无一点儿能为，别说调情斗口，竟连一句响亮话都没了。尤三姐自己高谈阔论，任意挥霍，村俗流言，洒落一阵，由着性儿拿他弟兄二人嘲笑取乐。（以传神的描写尽写三姐的优势。）一时，他的酒足兴尽，更不容他弟兄多坐，竟撵了出去，自己关门睡去了。（从这场吃酒来看，三姐是大获全胜。但从大环境来说，三姐仍是劣势弱势。）

自此后，或略有丫鬟婆子不到之处，便将贾珍、贾琏、贾蓉三个厉言痛骂，说他爷儿三个诓骗他寡妇孤女。贾珍回去之后，也不敢轻易再来。那三姐儿有时高兴，又命小厮来找。及至到了这里，也只好随他的便，干瞅着罢了。

看官听说：这尤三姐天生脾气，和人异样诡僻。只因他的模样儿风流标致，他又偏爱打扮的出色，另式另样，做出许多万人不及的风情体态来。（风情体态，这就是中国式的『性感』吧。）那些男子们，别说贾珍贾琏这样风流公子，便是一班老到人，铁石心肠，看见了这般光景，也要动心的。及至到他跟前，他那一种轻狂豪爽、目中无人的光景，早又把人的一团高兴逼住，不敢动手动脚。（这种境界相当高。不是寡妇脸式的道学，也不是潘金莲式的淫荡。）所以贾珍向来和二姐儿无所不至，渐渐的俗了，却一心注定在三姐儿身上，便把二姐儿乐得让给贾琏，自己却和三姐儿捏合。偏那三姐一般合他玩笑，别有一种令人不敢招惹的光景。他母亲和二姐儿也曾十分相劝，他反说：『姐姐糊涂！咱们金玉一般的人，白叫这两个现世宝沾污了去，也算无能！而且他家现放着个极利害的女人，如今瞒着，自然是好的，倘或一日他知道了，岂肯干休？势必有一场大闹。你二人不知谁生谁死，这如何便当作安身乐业的去处？』

他母女听他这话，料着难劝，也只得罢了。那尤三姐儿天天挑拣穿吃，打了银的，又要金的；有了珠子，又要宝石；吃着肥鹅，又宰肥鸭。或不趁心，连桌一推；衣裳不如意，不论绫缎新整，便用剪刀剪碎，撕一条，骂一句。究竟贾珍等何曾随意了一日，反花了许多昧心钱。（以歪治歪，充分发挥优势。）

（这几段描写脍炙人口，读之痛快淋漓。虽是一时尽兴，在『红』中也是绝无仅有。在女性深受几方面的压抑的条件下，尤三姐能够以毒攻毒，把两个色狼的气焰压下去，着实难能可贵。粗有粗的魅力，野有野的迷人，强有强的威势，三姐简直是光芒万丈！）

贾琏来了，只在二姐房内，心中也渐渐的悔上来了。无奈二姐儿倒是个多情人，以为贾琏是终身之主了，凡事倒还知疼着热。若论温柔和顺，却较着凤姐还有些体度；就论起那标致来，以及言谈行事，也不减于凤姐。但已经失了脚，有了一个『淫』字，凭他什么好处也不算了。偏这贾琏又说：『谁人无错，知过必改就好。』故不提已往之淫，只取现今之善。便如胶似漆，一心一计，誓同生死，那里还有凤平二人在意了？二姐在枕边衾内，也常劝贾琏说：『你和珍大爷商议商议，拣个相熟的，把三丫头聘了罢；留着他不是常法子，终久要生事故。』贾琏道：『前日我也曾回大哥的，他只是舍不得。我还说，「就是块肥羊肉，无奈烫的慌；玫瑰花儿可爱，刺多扎手。咱们未必降的住，正经拣个人聘了罢。」』（俗有俗的比喻，倒也贴切。）他只意意思思的就丢开手了。你叫我有什么法儿？』二姐儿道：『你放心。咱们明日先劝三丫头，他肯了，让他自己闹去；闹的无法，少不得聘他。』贾琏听了，说：『这话极是。』

至次日，二姐儿另备了酒，贾琏也不出门，至午间，特请他妹妹过来与他母亲上坐。三姐儿便知其意，刚斟上酒，也不用他姐姐开口，便先滴泪说道：『姐姐今日请我，自然有一番大道理要说；但只我也不是糊涂人，也不用絮絮叨叨的，从前的事情我已尽知，说也无益。既如今姐姐也得了好处安身，妈妈也有了安身之处，我也要自寻归结去，方是正礼。但终身大事，一生至一死，非同儿戏。向来人家看着咱们娘儿们微息，都安着不知什么心。我所以破着没脸，人家才不敢欺负。这如今要办正事，不是我女孩儿家没羞耻，必得我拣一个素日可心如意的人，方跟他。若凭你们拣择，虽是有钱有势的，我心里进不去，白过了这一世。』（如此这般，尤三姐的表现略显突兀与戏剧化，与「红」中其他人物的处理风格不尽一致。「红」中其他人物的表现手法是生活化、日常化，无边际的真实化。）贾琏笑道：『这也容易。凭你说是谁，就是谁。一应彩礼，都有我们置办，母亲也不用操心。』三姐儿道：『姐姐横竖知道，不用我说。』贾琏笑问二姐儿：『是谁？』二姐儿一时想不起来。贾琏料定必是此人无移了，便拍手笑道：『我知道这人了。果然好眼力。』二姐儿笑道：『是谁？』贾琏笑道：『别人他如何进得去，一定是宝玉。』二姐儿与尤老娘听了，也以为必然是宝玉了。三姐儿便啐了一口，说：『我们有姐妹十个，也嫁你弟兄十个不成？难道除了你家，天下就没有好男人了不成？』众人听了都诧异：『除了他，还有那一个？』三姐儿道：『别只在眼前想，姐姐只在五年前想，就是了。』（略略吊一下读者胃口。）

「红」与一般传统小说不同，并不以戏剧性传奇性见长，所以「红楼戏」远不如「三国戏」「水浒戏」「西游戏」那样多。把「红」搬上舞台，难度很大。唯「红楼二尤」一节，戏剧性强，性格对比与性格转变鲜明强烈，故事大开大合。但也正因如此，它们缺少「红」的其他部分的那种生活实感，而多了传奇性。

正说着，忽见贾琏的心腹小厮兴儿走来请贾琏，说：『老爷那边紧等着叫爷呢。小的答应往舅老爷那边去了，小的连忙来请。』贾琏又忙问：『昨日家里问我来着么？』兴儿说：『小的回奶奶，爷在家庙里和珍大爷商议做百日的事，只怕不能来。』贾琏忙命拉马，隆儿跟随去了，留下兴儿答应人。尤二姐便要了两碟菜来，命拿大杯斟了酒，就命兴儿在炕沿下站着吃，一长一短，向他说话儿，问道：『家里奶奶多大年纪？怎么个利害的样子？老太太多大年纪？姑娘几个？』各样家常等话。

兴儿笑嘻嘻的，在炕沿下，一头吃，一头将荣府之事备细告诉他母女。又说：『我是二门上该班的人。我们共是两班，一班四个，共是八个人。有几个是奶奶的心腹，有几个是爷的心腹。奶奶的心腹，我们不敢惹；爷的心腹，奶奶却敢惹。（小至于斯，有「线」划分。）提起来，我们奶奶的事，告诉不得奶奶。他心里歹毒，口里尖快。我们二爷也算是个好的，那里见得他？倒是跟前平姑娘，为人很好，虽然和奶奶一气，他倒背着奶奶常作些好事。小的们有了不是，奶奶是容不过的，只求求他去就完了。（从兴儿这话亦可看出平儿所行的双重意义：帮助了凤姐却也反衬了凤姐的不得人心。）如今合家大小，除了老太太、太太两个，没有不恨他的，只不过面子情儿怕他。皆因他一时看得人都不及他，只一味哄着老太太、太太两个人喜欢。他说一是一，说二是二，没人敢拦他。又恨不得把银子钱省了下来，堆成山，好叫老太太、太太说他会过日子，殊不知苦了下人，他讨好儿。或有好事，他就不等别人去说，他先抓尖儿；或有不好的事，或他自己错了，他便一缩头，推到别人身上来，他还在傍边拨火儿。（得宠而致众怨，天下之至险也。其下场不堪设想。）如今连他正经婆婆太太都嫌了，说他『雀儿拣着旺处飞』，『黑母鸡一窝儿』，自家的事不管，倒替人家去瞎张罗。（这个信息极为重要，是凤姐面临的主要危险。）要不是老太太在头里，早叫过他去了。』

尤二姐笑道：『你背着他这等说他，将来你又不知怎样说我呢。我又差他一层儿，越发有得说了。』（此话说得有两下子。）兴儿忙跪下说道：『奶奶要这样说，小的不怕雷劈吗？但凡小的要有造化，起先娶奶奶时，若得了这样的人，小的们也少挨些打骂，也少提心吊胆的。如今跟爷的几个人，谁不是背前背后称扬奶奶盛德怜下？我们商量着叫二爷要出来，情愿来伺候奶奶呢。』尤二姐笑道：『你这小猾贼儿，还不起来！说句玩话儿，就吓得这个样儿。你们做什么往这里来，我还要找了你奶奶去呢。』兴儿连忙摇手，说：『奶奶千万不要去，我告诉奶奶，一辈子别见他才好！「嘴甜心苦，两面三刀」，「上头笑着，脚底下就使绊子」，「明是一盆火，暗是一把刀」，都占全了。只怕三姨儿的这张嘴还说不过他呢！奶奶这样斯文良善人，那里是他的对手？』（尤二姐现在斯文了，原来似也不怎么斯文。）

尤氏笑道：『我只以理待他，他敢怎么样我！』兴儿道：『不是小的喝了酒，放肆胡说，奶奶便用着礼让，他看见奶奶比他标致，又比他得人心儿，他就肯善罢干休了？人家是醋罐子，他是醋缸，醋瓮。凡丫头们，二爷多看一眼，他有本事当着爷打个烂羊头似的。虽然平姑娘在屋里，大约一年间，两个有一次在一处，他还要嘴里掂十来个过儿呢。气的平姑娘性子上来，哭闹一阵，说：「又不是我自己寻来的，你逼着我，我原不愿意，又说我反了。这会子又这样！」他一般的也罢了，倒央告平姑娘。』（这一段兴儿谈凤姐十分脍炙人口，使凤姐的形象更加立体化了。）尤二姐笑道：『可是撒谎！这样一个夜叉，怎么反怕屋里的人呢？』兴儿道：『就是俗语说的：「三人抬

不过一个『理』字去」了。这平姑娘原是他自幼儿的丫头，陪了过来一共四个，死的，嫁的，只剩下这个心腹，收了屋里。一则显他的贤良，二则又拴爷的心。那平姑娘又是个正经人，从不会挑三窝四的，倒一味忠心赤胆伏侍他，所以才容下了。』（哪怕是不好伺候的主子如凤姐，也仍然需要平儿这样的忠臣拾遗补缺。）

尤二姐笑道：『原来如此。但只我听见你们还有一位寡妇奶奶和几位姑娘，他这样利害，这些人如何依他？』兴儿拍手笑道：『原来奶奶不知道！我们家这位寡妇奶奶，第一个善德人，从不管事的，只教姑娘们看书写字，针线道理，这是他的事情。（第一善德了，也就管不成事了。管事本身，就包含着恶的因子。）前日因为他病了，这大奶奶暂管了几日事，总是按着老例儿行，不像他那么多事逞才的。我们大姑娘，不用说，是好的了。二姑娘混名儿叫「二木头」。三姑娘的混名儿叫「玫瑰花儿」，（贾琏说过尤三姐像玫瑰花儿。）又红又香，无人不爱，只是有刺扎手，可惜不是太太养的，「老鸹窝里出凤凰」。四姑娘小，正经是珍大爷的亲妹子，太太抱过来的，养了这么大，也是一位不管事的。（贾府的体制，培养不管事儿的，也滋生流氓无赖，而管事的，必带几分杀气。）奶奶不知道，我们家的姑娘们不算外，还有两位姑娘，真是天下少有。一位是我们姑太太的女孩儿，姓林；一位是姨太太的女孩儿，姓薛。这两位姑娘都是美人一样，又都知书识字的。或出门上车，或在园子里遇见，我们连气儿也不敢出。』（拉开距离，指点评论，便觉轻松幽默。真加入进去，就没有这份生动活泼了。）尤二姐笑道：『你们家规矩大，小孩子进得去，遇见姑娘们，原该远远的藏躲着，敢出什么气儿呢。』兴儿摇手，道：『不是那么不敢出气儿，是怕这气儿大了，吹倒了林姑娘；气儿暖了，又吹化了薛姑娘！』（这是名言，准确、生动、俏皮。）说得满屋里都笑了。

这是继冷子兴演说荣国府后又一次『小兴儿演说荣国府』。兴儿是下人，愈下人说话愈是生动，天生的直观形象，找得准感觉。

当然，有他这下人的角度。

要知尤三姐要嫁何人，下回分解。

尤三姐的表现，令人想起古代名言：『即以其人之道，还治其人之身。』现代名言：『我是流氓我怕谁？』

绝对的正人君子，常常败在流氓手里，奈何？

第六十六回　情小妹耻情归地府　冷二郎一冷入空门

话说兴儿说怕吹倒了林姑娘，吹化了薛姑娘，大家都笑了。那鲍二家的打他一下子，笑道：『原有些真，到了你嘴里，越发没了捆儿了。你倒不像跟二爷的人，这些话倒像是宝玉的人。』

尤二姐才要又问，忽见尤三姐笑问道：『可是你们家那宝玉，除了上学，他做些什么？』（三姐对宝玉也有了点兴趣。）兴儿笑道：『三姨儿别问他，说起来，三姨儿也未必信。他长了这么大，独他没有上过正经学。我们家从祖宗直到二爷，谁不是学里的师老爷严严的管着念书？偏他不爱念书，是老太太的宝贝。老爷先还管，如今也不敢管了。成天家疯疯癫癫的，说话人也不懂，干的事人也不知。外头人人看着好清俊模样儿，心里自然是聪明的，谁知里头更糊涂，见了人，一句话也没有。所有的好处，虽没上过学，倒难为他认得几个字。每日又不习文，又不学武，又怕见人，只爱在丫头群儿里闹。再者，也没个刚气儿，有一遭见了我们，喜欢时，没上没下，大家乱玩一阵；不喜欢，各自走了，他也不理人。我们坐着卧着，见了他也不理他，他也不责备。因此，没人怕他，只管随便，都过的去。』（不符合社会规范，连兴儿也瞧不起。）

尤三姐笑道：『主子宽了，你们又这样；（当然。）严了，又抱怨。可知你们难缠。』尤二姐道：『我们看他倒好，原来这样。可惜了儿的一个好胎子。』尤三姐道：『姐姐信他胡说？咱们也不是见过一面两面的，行事言谈吃喝，原有些女儿气的，自然是天天只在里头惯了的。若说糊涂，那些儿糊涂？姐姐记得穿孝时，咱们同在一处，那日正是和尚们进来绕棺，咱们都在那里站着，他只站在头里挡着人。人说他不知礼，又没眼色。过后他没悄悄的告诉咱们说：「姐姐们不知道：我并不是没眼色；想和尚们的那样腌臜，只恐怕气味熏了姐姐们。」（体贴。）接着他吃茶，姐姐又要茶，那个老婆子就拿了他的碗去倒，他赶忙说：「我吃腌臜了的，另洗了再斟来。」这两件上，我冷眼看去，原来他在女孩儿跟前，不管什么都过的去，只不大合外人的式，所以他们不知道。』（三姐更能不受舆论与既有规范的拘束，用自己的眼睛看人。从不同的角度刻画叙述同一人同一事，给人以十分立体的感觉。）尤二姐听说，笑道：『依你说，你两个已是情投意合了。竟把你许了他，岂不好？』三姐见有兴儿，不便说话，只低了头磕瓜子儿。兴儿笑道：『若论模样儿行为，倒是一对儿好人！只是他已经有了人了，只是没有露形儿，将来准是林姑娘定了的。因林姑娘多病，二则都还小，所以还没办呢。再过三二年，老太太便一开言，那是再无不准的了。』（局面已经形成，故连兴儿也门儿清。）

大家正说话，只见隆儿又来了，说：『老爷有事，是件机密大事，要遣二爷往平安州去。不过三五日就起身，来回得十五六天的工夫。今日不能来了，请老奶奶早和二姨儿定了那件事。明日爷来，好做定夺。』说着带了兴儿，也回去了。这里尤二姐命掩了门，早睡下了，盘问他妹子一夜。

至次日午后，贾琏方来了。尤二姐因劝他，说：『既有正事，何必忙忙又来，千万别为我误事。』贾琏道：『也没什么事，只是偏偏的又出来了一件远差。出了月儿就起身，得半月工夫才来。』尤二姐道：『既如此，你只管放心前去，这里一应不用你记挂。三妹妹他从不会朝更暮改的。他已择定了人，你只要依他就是了。』贾琏忙问：『是谁？』二姐笑道：『这人此刻不在这里，不知多早晚才来。也难为他的眼力。他自己说了，这人一年不来，他等一年；十年不来，等十年；若这人死了，再不来了，他情愿剃了头当姑子去，吃常斋念佛，再不嫁人。』（突然变成了贞节烈女？还是反映三姐的带有任性特点的激情？）贾琏问：『到底是谁，这样动他的心？』二姐儿笑道：『说来话长。五年前，我们老娘家做生日，妈妈和我们到那里给老娘拜寿，他家请了一起玩戏的人，也都是好人家子弟。里头有个装小生的，叫做柳湘莲，如今要是他才嫁。旧年闻得这人惹了祸逃走了，不知回来了不曾？』（最后不是通过三姐己口，而是二姐代为说出。回避开尴尬的自由择婿，变为比较容易接受的代言。）贾琏听了道：『怪道呢！我说是个什么人，原来是他！果然眼力不错。你不知道，那柳老二那样一个标致人，最是冷面冷心的，差不多的人，他都无情无义。他最和宝玉合的来。（无情无义，冷面冷心，为何最与宝玉合得来？）去年因打了薛呆子，他不好意思见我们的，不知那里去了，一向没来。听见有人说来了，不知是真是假，一问宝玉的小厮们，就知道了。倘或不来时，他是萍踪浪迹，知道几年才来，岂不白耽搁了？』二姐道：『我们这三丫头，说的出来，干的出来。他怎样说，只依他便了。』（一再强调三丫头的特立独行，略显过分。）

二人正说之间，只见三姐走来说道：『姐夫，你也不知道我们是什么人！今日和你说罢，你只放心，我们不是那心口两样的人，说什么是什么。若有了姓柳的来，我便嫁他。从今日起，我吃斋念佛，伏侍母亲，等来了，嫁了他去；若一百年不来，我自己修行去了。』说着将头上一根玉簪拔下来，磕作两段，说：『一句不真，就合这簪子一样！』（似嫌过于黑白分明，戏剧化了。这固是尤三姐的血性，却也是尤三姐自己进了封建规范的框套，以她的性格和过去，这样做岂能见容？岂能被接纳？岂能不自投罗网，自取灭亡？）说着，回房去了，真个竟『非礼不动，非礼不言』起来。

贾琏无了法，只得和二姐商议了一回家务，复回家与凤姐商议起身之事。一面着人问焙茗，焙茗说：『竟不知道。大约没来，若来了，必是我知道的。』一面又问他的街坊，也说没来。贾琏只得回复了二姐儿。至起身之日已近，前两天便说起身，却先往二姐儿这边来住两夜，从这里再悄悄的长行。（这是一种近似浪漫主义的写法，令人想起雨果《悲惨世界》中的冉阿让。）果见三姐儿竟像又换了一个人的是的；又见二姐儿持家勤慎，自是不消记挂。

是日，一早出城，竟奔平安州大道，晓行夜住，渴饮饥餐。方走了三日，那日正走之间，顶头来了一群驮子，内中一伙，主仆十来匹马。走的近了，一看时，不是别人，就是薛蟠和柳湘莲来了。（更为奇巧。一般的说，『红』并不走无巧不成书的路子，但毕竟是小说了，不可能完全摆脱小说技巧直至套路。）贾琏深为奇怪，忙伸马迎了上来，大家一齐相见，说些别后寒温，便入一酒店歇下，共叙谈叙谈。贾琏因笑道：『闹过之后，我们忙着请你两个和解，谁知柳二弟踪迹全无。怎么你们两个今日倒在一处了？』薛蟠笑道：『天下竟有这样奇事：我和伙计贩了货物，自春天起身，往回里走，一路平安。谁知前日到了平安州地面，遇见一伙强盗，已将东西劫去。不想柳二弟从那边来了，方把贼人赶散，夺回货物，还救了我们的性命。我谢他又不受，所以我们结拜了生死弟兄，如今一路进京。（这位眠花宿柳、吹歌弹唱的没落少爷，竟扮演了大使角色。其实利用这段故事可以写一本武侠小说的。）从此后，我们是亲弟兄一般。到前面岔口上分路，他就分路往南二百里，有他一个姑妈，他去望候望候。我先进京去安置了我的事，然后给他寻一所房子，寻一门好亲事，大家过起来。』贾琏听了道：『原来如此，倒好，只是我们白悬了几日心。』又说道：『方才说起给柳二弟提亲，我正有一门好亲事，堪配二弟。』说着，便将自己娶尤氏，如今又要发嫁小姨子一节，说了出来，只不说尤三姐自择之语。又嘱薛蟠：『且不可告诉家里。等生了儿子，自然是知道的。』

薛蟠听了大喜，说：『早该如此。这都是舍表妹之过。』（薛蟠也不站在凤姐一边。）湘莲忙笑说：『你又忘情了，还不住口！』薛蟠忙止住不语，便说：『既是这等，这门亲事定要做的。』湘莲道：『我本有愿，定要一个绝色的女子。如今既是贵昆仲高谊，顾不得许多了，任凭定夺，我无不从命。』贾琏笑道：『如今口说无凭，等柳二弟一见，便知我这内娣的品貌，是古今有一无二的了。』湘莲听了大喜，说：『既如此说，等弟探过姑母，不过月中，就进京的，那时再定，如何？』（由贾琏这色人做亲，埋伏下失败的种子。）贾琏笑道：『你我一言为定。只是我信不过二弟，你是萍踪浪迹，倘然去了不来，岂不误了人家一辈子的大事？须得留一个定礼。』湘莲道：『大丈夫岂有失信之理。小弟素系寒贫，况且客中，那里能有定礼。』薛蟠道：『我这里现成，就备一分，二哥带去。』贾琏道：『也不用金银珠宝，须是柳二弟亲身自有的东西，不论贵贱，不过带去取信耳。』湘莲道：『既如此说，弟无别物，囊中还有一把「鸳鸯剑」，乃弟家中传代之宝，弟也不敢擅用，只是随身收藏着，二哥就请拿去为定。弟纵系水流花落之性，亦断不舍此剑。』（不敢擅用，并非实战武器。实战武器怎好作聘礼？）说毕，大家又饮了几杯，方各自上马，作别起程去了。

写一个人虽然忏悔但不得见容的故事，古今中外都有。例如法国电影《推向断头台》。

且说贾琏一日到了平安州，见了节度，完了公事，因又嘱咐他十月前后务要还来一次。贾琏领命，次日连忙取路回家，先到尤二姐那边。且说二姐儿操持家务，十分谨肃，每日关门闭户，一点外事不闻。那三姐儿果是个斩钉截铁之人，每日侍奉母亲之余，只和姐姐一处做些活计，虽贾珍趁贾琏不在家，也来鬼混了两次，无奈二姐儿只不兜揽，推故不见。那三姐儿的脾气，贾珍早已领过教的，那里还敢招惹他去？所以踪迹一发疏阔了。

却说这日贾琏进门，看见二姐儿三姐儿这般景况，喜之不尽，深念二姐儿之德。大家叙些寒温，贾琏便将路遇柳湘莲一事说了一回，又将『鸳鸯剑』取出，递与三姐儿。三姐儿看时，上面龙吞夔护，珠宝晶荧；及至拿出来看时，里面却是两把合体的，一把上面錾一『鸳』字，一把上面錾一『鸯』字，冷飕飕，明亮亮，如两痕秋水一般。三姐儿喜出望外，连忙收了，挂在自己绣房床上，每日望着剑，自喜终身有靠。（个个是空喜一场。人生就是这样的一个骗局吗？）贾琏住了两天，回去复了父命，回家合宅相见。那时凤姐已大愈，出来理事行走了。贾琏又将此事告诉了贾珍。贾珍因近日又搭上了新相知，二则正恼他姐妹们无情，把这事丢过了，全不在心上，任凭贾琏裁夺；只怕贾琏独力不能，少不得又给他几十两银子。贾琏拿来，交与二姐儿，预备妆奁。

谁知八月内湘莲方进了京，先来拜见薛姨妈，又遇见薛蟠，方知薛蟠不惯风霜，不服水土，一进京时，便病倒在家，请医调治。听见湘莲来了，请入卧室相见。薛姨妈也不念旧事，只感救命之恩。母子们十分称谢。又说起亲事一节，凡一应东西皆置办妥当，只等择日。柳湘莲也感激不尽。

次日，又来见宝玉。二人相会，如鱼得水。（『如鱼得水』四字，给人以狎昵感。）湘莲因问贾琏偷娶二房之事。宝玉笑道：『我听见焙茗说，我却未见。我也不敢多管。我又听见焙茗说，琏二哥哥着实问你，不知有何话说。』湘莲就将路上所有之事，一概告诉宝玉。宝玉笑道：『大喜，大喜！难得这个标致人，果然是个古今绝色，堪配你之为人。』湘莲道：『既是这样，他那少了人物，如何只想到我？况且我又素日不甚和他相厚，也关切不至于此。路上忙忙的就那样再三要求定下，难道女家反赶着男家不成？我自己疑惑起来，后悔不该留下这剑作定。所以后来想起你来，可以细细问了底里才好。』宝玉道：『你原是个精细人，如何既许了定礼又疑惑起来？你原说只要一个绝色的，如今既得了个绝色的，便罢了，何必再疑？』湘莲道：『你既不知他来历，如何又知是绝色？』宝玉道：『他是珍大嫂子的继母带来的两位妹子。我在那里和他们混了一个月，怎么不知？真真一对尤物，他又姓尤。』（量怜香惜玉的宝二爷，为何不说尤三姐一句好话，为何客观上起了毁灭三姐的作用？有一个可能的解释，宝玉与湘莲有过于狎昵的关系，他不愿柳与三姐成婚。否则，便是被认为『反封建』的宝二爷，维护的仍是封建礼法。）

湘莲听了，跌足道：『这事不好，断乎做不得！你们东府里，除了那两个石头狮子干净罢了！』宝玉听说，红了脸。湘莲自惭失言，连忙作揖，说：『我该死胡说！你好歹告诉我，他品行如何？』宝玉笑道：『你既深知，又来问我做甚么？连我也未必干净了。』（宝玉无法为三姐辩护，反而坐实了湘莲对三姐的疑心。）湘莲笑道：『原是我自己一时忘情，好歹别多心。』（湘莲自己干净吗？也是男女有别：男人自可拈花惹草，不足为病，反称风流，而女人就不同了。）宝玉笑道：『何必再提，这倒似有心了。』湘莲作揖告辞出来，心中想着要找薛蟠，一则他病着，二则他又浮躁，不如去要回定礼。主意已定，便一径来找贾琏。

贾琏正在新房中，闻湘莲来了，喜之不尽，忙迎出来，让到内堂，与尤老娘相见。湘莲只作揖，称『老伯母』，自称『晚生』，贾琏听了咤异。吃茶之间，湘莲便说：『客中偶然忙促，谁知家姑母于四月订了弟妇，使弟无言可回。要从了二哥，背了姑母，似不合理。若系金帛之定，弟不敢索取；但此剑系祖父所遗，请仍赐回为幸。』贾琏听了，心中自是不自在，便道：『二弟，这话你说错了。定者，定也，原怕返悔，所以为定。岂有婚姻之事，出入随意的？这个断乎使不得。』湘莲笑说：『如此说，弟愿领责领罚，然此事断不敢从命。』贾琏还要饶舌。湘莲便起身说：『请兄外座一叙，此处不便。』那尤三姐在房明明听见。好容易等了他来，今忽见返悔，便知他在贾府中听了什么话来，把自己也当做淫奔无耻之流，不屑为妻。今若容他出去和贾琏说退亲，料那贾琏不但无法可处，就是争辩起来，自己也无趣味。一听贾琏要同他出去，连忙摘下剑来，将一股雌锋隐在肘后，出来便说：『你们也不必出去再议，还你的定礼！』一面泪如雨下，左手将剑并鞘送与湘莲，右手回肘，只往项上一横，可怜：（原来勇斗贾珍贾琏的英勇豪迈哪里去了？可见与『敌人』斗易，与自己人——特别是自己钦佩心爱的人的偏见冤枉斗难。失去了精神支柱，失去了『改恶从善』的前途。这实是执着精神的失败，却也塑造了一种特殊的『烈女』形象。此前三姐与贾珍贾琏斗争，锋芒毕露，所向披靡，淋漓尽致，不祥。斗得胜得都太满了，自己择婿也太能干了，可惜！）

揉碎桃花红满地，玉山倾倒再难扶！（这两句引用得太隔也太戏曲化了，反减弱了人道主义力量。）

当下唬的众人急救不迭。尤老娘一面嚎哭，一面大骂湘莲。贾琏揪住湘莲，命人捆了送官。二姐儿忙止泪，反劝贾琏：『人家并没威逼他，是他自寻短见。你便送他到官，又有何益？反觉生事出丑。不如放他去罢。』贾琏此时也没了主意，便放了手，命湘莲快去。湘莲反不动身，拉下手绢，拭泪道：『我并不知是这等刚烈人，真真可敬！是我没福消受。』大哭一场，等买了棺木，眼看着入殓，又抚棺大哭一场，方告辞而去。出门正无所之，昏昏默默，自想方才之事：『原来这样标致人，又这等刚烈！』（这大概也算报答，活着害了人，死了大哭一场。不死就不刚烈，就肮脏了。为什么道德规范常常需要用死来证明自身、实现自身？）自悔不及，信步行来，也不自知了。

正走之间，只听得隐隐一阵环佩之声，尤三姐从那边来了，一手捧着鸳鸯剑，一手捧着一卷册子，向湘莲哭道：『妾痴情待君五年，不期君果「冷心冷面」，妾以死报此痴情。妾今奉警幻仙姑之命，前往太虚幻境，修注案中所有一干情鬼。妾不忍相别，故来一会，从此再不能相见矣。』（读到这里，人生诸事诸欲诸烦恼已令读者把太虚幻境忘在了一边，别忙，幻境等着湘莲，等着各人，也等着你我呢。）说毕，又向湘莲洒了几点眼泪，便要告辞而行。湘莲不舍，忙欲上来拉住问时，那尤三姐一摔手，便自去了。这里柳湘莲放声大哭，不觉自梦中哭醒，似梦非梦，睁眼看时，竟是一座破庙，旁边坐着一个瘸腿道士捕虱。湘莲便起身稽首相问：『此系何方？仙师何号？』道士笑道：『连我也不知道此系何方，我系何人。不过暂来歇脚而已。』柳湘莲听了，冷然如寒冰侵骨。掣出那股雄剑来，将万根烦恼丝，一挥而尽，（万根烦恼丝，岂是一挥可尽的！）便随那道士，不知往那里去了。要知端的，且看下回分解。

如何能自制得这般爽快？剑如此锋利？尤三姐用剑如此熟练，二人连扑救都没有？试看写各种生活场面——饮酒、祝寿、吟诗、赏花、赏雪、医疗、丧葬、上学……是何等细致丰满。可见，那些描写曹公有自己的亲身经验依据。而三姐故事，出自想象或道听途说，反正不是第一手经验。又是阴魂招引，又是一僧一道。自二十五回『通灵玉蒙蔽遇双真』以来，此僧此道久违了。然而他们的法力无处不在。他们为现实生活蒙上了阴影，也为现实生活破开了一个墨洞，给予了无出路的出路。不了了之。是人生的不了了之，是爱情的不了了之，是柳湘莲的不了了之，也是小说的不了了之。再写下去，反为不美。

尤三姐来得痛快，恶得痛快，走得痛快，虽痛仍快，难得！

第六十七回　见土仪颦卿思故里　闻秘事凤姐讯家童

话说尤三姐自尽之后，尤老娘合二姐儿、贾珍、贾琏等，俱不胜悲恸，自不必说，忙令人盛殓，送往城外埋葬。柳湘莲见尤三姐身亡，痴情眷恋，却被道人数句冷言，打破迷关，竟自截发出家，跟随疯道人飘然而去，不知何往。暂且不表。（别出心裁的《红楼梦》，也有顺着套路走的平凡乃至贫乏。）

且说薛姨妈闻知湘莲已说定了尤三姐为妻，心中甚喜，正是高高兴兴，要打算替他买房子，治家伙，择吉迎娶，以报他救命之恩。忽有家中小厮吵嚷：『三姐儿自尽了。』被小丫头们听见，告知薛姨妈。薛姨妈不知为何，心甚叹息。（好梦难圆。）正在猜疑，宝钗从园里过来，薛姨妈便对宝钗说道：『我的儿，你听见了没有？你珍大嫂子的妹妹三姑娘，他不是已经许定给你哥哥的义弟柳湘莲了么！不知为什么自刎了。那柳湘莲也不知往那里去了，真正奇怪的事，叫人意想不到！』宝钗听了，并不在意，便说道：『俗语说的好：「天有不测风云，人有旦夕祸福。」这也是他们前生命定。前日妈妈为他救了哥哥，商量着替他料理，如今已经死的死了，走的走了，依我说，也只好由他罢了。妈妈也不必为他们伤感了。（为何如此不在意？连好奇心都没有了么？不仅冷面冷心，而且冷血了。刚说过她『艳冠群芳』，如何又用春秋笔法贬损之？或者可以解释为宝钗洁身自好，自来就对湘莲这种风流人物不感兴趣，更对他与尤三姐的婚事不感兴趣。）倒是自从哥哥打江南回来了一二十日，贩了来的货物，想来也该发完了。那同伴去的伙计们辛辛苦苦的回来几个月了，妈妈合哥哥商议商议，也该请一请，酬谢酬谢才是。别叫人家看着无理似的。』

母女正说话间，见薛蟠自外而入，眼中尚有泪痕，一进门来，便向他母亲拍手说道：『妈妈可知道柳二哥尤三姐的事么？』薛姨妈说：『我才听见说，正在这里合你妹妹说这件公案呢。』薛蟠道：『妈妈可听见说柳湘莲跟着一个道士出了家了么？』薛姨妈道：『这越发奇了！（越发奇之事，一般并不可信，视为托词或讹传可也。）怎么柳相公那样一个年轻的聪明人，一时糊涂就跟着道士去了呢。我想你们好了一场，他又无父母兄弟，只身一人在此，你该各处找找他才是。靠那道士，能往那里远去，左不过是在这方近左右的庙里寺里罢了。』薛蟠说：『何尝不是呢。我一听见这个信儿，就连忙带了小厮们在各处寻找，连一个影儿也没有。又去问人，都说没看见。』（薛蟠的表现比乃妹强多了。薛蟠本是个罪行、血债累累的恶霸，但他给历代评家的印象并不太坏，至少比赦、珍、琏、蓉、芸辈强得多，一是因他心直口快，阴谋诡计不多，坏也坏在明处，二则是在这些事上，他很讲交情。）薛姨妈说：『你既找寻过，没有，也算把你做朋友的心尽了。焉知他这一出家，不是得了好处去呢。只是你如今也该张罗张罗买卖；二则把你自己娶媳妇应办的事情，倒早些料理料理。咱们家没人，俗语说的，「夯雀儿先飞」，省得临时丢三落四的不齐全，令人笑话。再者，你妹妹才说你也回家半个多月了，想货物也该发完了，同你去的伙计们，也该摆桌酒，给他们道道乏才是。人家陪着你走了二三千里的程途，受了四五个月的辛苦，而且在路上又替你担了多少的惊怕沉重。』薛蟠听说，便道：『妈妈说的很是。倒是妹妹想的周到，我也这样想着，只因这些日子为各处发货，闹的脑袋都大了。又为柳二哥的事忙了这几日，反倒落了一个空，白张罗了一会子，倒把正经事都误了。（柳尤之事，本非『正经事』。）要不然，定了明儿后儿下帖儿请罢。』薛姨妈道：『由你办去罢。』

话犹未了，外面小厮进来回说：『管总的张大爷差人送了两箱子东西来，说：「这是爷各自买的，不在货账里面。本要早送来，因货物箱子压着，没得拿；昨儿货物发完了，所以今日才送来了。」』一面说，一面又见两个小厮搬进了两个夹板夹的大棕箱。薛蟠一见，说：『嗳哟，可是我怎么就糊涂到这步田地了！特特的给妈合妹妹带来的东西，都忘了，没拿了家里来，还是伙计送了来了。』（可能是薛蟠忘了，也可能是写小说的一支笔难以同时叙述那么多事儿。）宝钗说：『亏你说还是「特特的带来」的，才放了一二十天，若不是「特特的带来」，大约要放到年底下才送来呢。我看你也诸事太不留心了。』薛蟠笑道：『想是在路上叫人把魂吓掉了，还没归窍呢。』

说着，大家笑了一回，便向小丫头说：『出去告诉小厮们，东西收下，叫他们回去罢。』薛姨妈和宝钗因问：『到底是什么东西，这样捆着绑着的？』薛蟠便命叫两个小厮进来，解了绳子，去了夹板，开了锁看时，这一箱都是绸缎绫锦洋货等家常应用之物。薛蟠笑着道：『那一箱是给妹妹带的。』亲自来开。母女二人看时，却是些笔、墨、纸、砚，各色笺纸，香袋、香珠、扇子、扇坠、花粉、胭脂等物；外有虎丘带来的自行人、酒令儿，水银灌的打金斗小小子，沙子灯，一出一出的泥人儿的戏，用青纱罩的匣子装着；又有在虎丘山上泥捏的薛蟠的小像，与薛蟠毫无相差。宝钗见了，别的都不理论，倒是薛蟠的小像，拿着细细看了一看，又看看他哥哥，不禁笑起来了。因叫莺儿带着几个老婆子，将这些东西连箱子送到园里去。又和母亲哥哥说了一回闲话儿，才回园子里去了。这里薛姨妈将箱子里的东西取出，一分一分的打点清楚，叫同喜送给贾母并王夫人等处，不提。

且说宝钗到了自己房中，将那些玩意儿一件一件的过了目，除了自己留用之外，一分一分配合妥当：也有送笔、墨、纸、砚的；也有送香袋、扇子、香坠的；也有送脂粉、头油的；有单送玩意儿的。（处处公关，滴水不漏。）只有黛玉的比别人不同，且又加厚一倍。（时时提醒，二人地位不一般，关系也不一般。）一一打点完毕，使莺儿同着一个老婆子，跟着送往各处。

添一分则过，性格化的结果有时收效适得其反。刘备、宋江直至宝钗，都令人疑其伪。太『正确』了就像假的。这是不是人性恶的表现？抑是性恶论的影响？恶人、偏执人比善人、全人更可信。不可叹乎？

这边姊妹诸人都收了东西，赏赐来使，说：『见面再谢。』惟有黛玉看见他家乡之物，反自触物伤情，想起：『父母双亡，又无兄弟，寄居亲戚家中，那里有人也给我带些土物？』想到这里，不觉的又伤起心来了。（这些地方都是写之再三，不无絮叨。巨型长篇的写法，本也与精短小品不一样。）紫鹃深知黛玉心肠，但也不敢说破，只在一旁劝道：『姑娘的身子多病，早晚服药，这两日看着比那些日子略好些，虽说精神长了一点儿，还算不得十分大好。今儿

宝姑娘送来的这些东西，可见宝姑娘素日看得姑娘很重，姑娘看着该喜欢才是，为什么反倒伤起心来。这不是宝姑娘送东西来，倒叫姑娘烦恼了不成？就是宝姑娘听见，反觉脸上不好看。再者，这里老太太们为姑娘的病体，千方百计请好大夫配药诊治，也为是姑娘的病好。这如今才好些，又这样哭哭啼啼，岂不是自己遭塌了自己身子，叫老太太看着添了愁烦了么？况且姑娘这病，原是素日忧虑过度，伤了血气。姑娘的千金贵体，也别自己看轻了。』

紫鹃正在这里劝解，只听见小丫头子在院内说：『宝二爷来了。』（宝二爷的到来都是时候。）紫鹃忙说：『请二爷进来罢。』只见宝玉进房来了。黛玉让坐毕，宝玉见黛玉泪痕满面，便问：『妹妹，又是谁气着你了？』黛玉勉强笑道：『谁生什么气。』旁边紫鹃将嘴向床后桌上一努。宝玉会意，往那里一瞧，见堆着许多东西，就知道是宝钗送来的，便取笑说道：『那里这些东西？不是妹妹要开杂货铺啊？』（给心爱的人插科打诨，也是示爱。）黛玉也不答言。紫鹃笑着道：『二爷还提东西呢！因宝姑娘送了些东西来，姑娘一看，就伤起心来了。（伤心则无事不伤心，无物不伤心。以伤心观照万事万物。当然可以解释黛玉的伤心：父母双亡、寄人篱下、终身无靠等等。但最好是不去解释，依黛玉的心性，没有这些苦处也会为别的事情而伤心。自来伤心。）我正在这里劝解，恰好二爷来的很巧，替我们劝劝。』

宝玉明知黛玉是这个原故，却也不敢提头儿，只得笑说道：『你们姑娘的原故，想来不为别的，必是宝姑娘送来的东西少，所以生气伤心。妹妹，你放心，等我明年叫人往江南去，与你多多的带两船来，省得你淌眼抹泪的。』黛玉听了这些话，也知宝玉是为自己开心，也不好推，也不好任，因说道：『我任凭怎么没见世面，也到不了这步田地，因送的东西少，就生气伤心。（其实如果送得少了或没有送也是要伤心的。）我又不是两三岁的小孩子，

你也忒把人看得小气了。我有我的原故，你那里知道？』说着，眼泪又流下来了。宝玉忙走到床前，挨着黛玉坐下，将那些东西一件一件拿起来，摆弄着细瞧，故意问这是什么，叫什么名字？那是什么做的，这样齐整？这是什么，要他做什么使用？又说这一件可以摆在面前；又说那一件可以放在条桌上，当古董儿倒好呢。（宝玉确好。能这样细心耐心对待一个女孩子，确实与那些淫人不同。）一味的将些没要紧的话来断混。（为何不写宝玉对柳尤事件的反应，何况此事与他有关。）黛玉见宝玉如此，自己心里倒过不去，（黛玉知此感此，亦无怨矣。）便说：『你不用在这里混搅了，咱们到宝姐姐那边去罢。』宝玉巴不得黛玉出去散散闷，解了悲痛，便道：『宝姐姐送咱们东西，咱们原该谢谢去。』黛玉道：『自家姊妹，这倒不必。只是到他那边，薛大哥回来了，必然告诉他些南边的古迹儿，我去听听，只当回了家乡一趟的。』说着，眼圈儿又红了。宝玉便站着等他。黛玉只得同他出来，往宝钗那里去了。（这一段似无太大意义，写钗黛关系，又似乎隐藏着什么。）

伤心则一切伤心——黛玉，体贴则一切（女子）体贴——宝玉，冷静则一切冷静——宝钗，尴尬则一切尴尬——赵姨娘，孤僻则一切孤僻——妙玉，平顺则一切平顺——平儿……人物的性格化原则在某种意义上说也就是小说化原则，盖这样的人物鲜明生动，活灵活现，却只有在小说中才结识得着，实际生活中，很难把人的个性提纯到这种程度。

且说薛蟠听了母亲之言，急下了请帖，办了酒席。次日，请了四位伙计，俱已到齐，不免说些贩卖账目发货之事。不一时，上席让坐，薛蟠挨次斟了酒，薛姨妈又使人出来致意。大家喝着酒说闲话儿，内中一个道：『今日这席上短两个好朋友。』众人齐问：『是谁？』那人道：『还有谁，就是贾府上的琏二爷和大爷的盟弟柳二爷。』

大家果然都想起来，问着薛蟠道：『怎么不请琏二爷合柳二爷来？』薛蟠闻言，把眉一皱，叹口气道：『琏二爷又往平安州去了，头两天就起了身的。那柳二爷竟别提起，真是天下头一件奇事！什么是「柳二爷」，如今不知那里作「柳道爷」去了。』众人都诧异道：『这是怎么说？』

薛蟠便把湘莲前后事体说了一遍。众人听了，越发骇异，因说道：『怪不的前日在我们店里，仿仿佛佛也听见人吵嚷说：「有一个道士，三言两语，把一个人度了去了。」又说：「一阵风刮了去了。」只不知是谁。我们正发货，那里有闲工夫打听这个事去，到如今还是似信不信的，谁知就是柳二爷呢！早知是他，我们大家也该劝劝他才是。任他怎么着，也不叫他去。』（再找补一下，使不经之言坐实。）内中一个道：『别是这么着罢？』众人问：『怎么样？』那人道：『柳二爷那样个伶俐人，未必是真跟了道士去罢。他原会些武艺，又有力量，或看破那道士的妖术邪法，特意跟他去，在背地摆布他，也未可知。』（发生了一件什么事情，人们就做成各种传闻与解释，隔靴搔痒，以讹传讹。）薛蟠道：『果然如此，倒也罢了。世上这些妖言惑众的人，怎么没人治他一下子！』（救世渡人，从另一面解释，恰是妖言惑众。）众人道：『那时难道你知道了也没找寻他去？』薛蟠说：『城里城外，那里没有找到？不怕你们笑话，我找不着他，还哭了一场呢。』言毕，只是长吁短叹，无精打彩的，不像往日高兴。众伙计见他这样光景，自然不便久坐，不过随便喝了几杯酒，吃了饭，大家散了。（这次致谢宴请的不成功，反衬出宝钗的不近人情。众人都关心，宝钗例外。）

且说宝玉同着黛玉到宝钗处来，宝玉见了宝钗，便说道：『大哥哥辛辛苦苦的带了东西来，姐姐留着使罢，又送我们。』宝钗笑道：『原不是什么好东西，不过是远路带来的土物儿，大家看着新鲜些就是了。』黛玉道：『这些东西，我们小时候倒不理会，如今看见，真是新鲜物儿了。』（乡愁如酒。愁也是一种美。）宝钗因笑道：『妹妹知道，这就是俗语说的「物离乡贵」，其实可算什么呢。』（物离乡贵是市场规律，更是心理规律。）宝玉听了这话，正对了黛玉方才的心事，连忙拿话岔道：『明年好歹大哥哥再去时，替我们多带些来。』黛玉瞅了他一眼，便道：『你要，你只管说，不必拉扯上人。姐姐，你瞧，宝哥哥不是给姐姐来道谢，竟又要定下明年的东西来了。』（从伤感到幽默，这其实是一种健康化和成熟化的表现。）说的宝钗宝玉都笑了。

三个人又闲话了一回，因提起黛玉的病来，宝钗劝了一回，因说道：『妹妹若觉着身上不爽快，倒要自己勉强挣着出来，各处走走逛逛，散散心，比在屋里闷坐着到底好些。我那两日，不是觉着发懒，浑身发热，只是要歪着，也因为时气不好，怕病，因此寻些事情，自己混着。这两日才觉着好些了。』黛玉道：『姐姐说的何尝不是，我也是这么想着呢。』（寻些事情，也是养生之道。「我也是……」后面似有但书。）大家又坐了一会子方散。宝玉仍把黛玉送至潇湘馆门首，才各自回去了。

且说赵姨娘因见宝钗送了贾环些东西，心中甚是喜欢，想道：『怨不得别人都说那宝丫头好，会做人，很大方。如今看起来，果然不错！他哥哥能带了多少东西来？他挨门儿送到，并不遗漏一处，也不露出谁薄谁厚。（赵姨娘难得对主流派亲属产生此种美好情绪。一碗水端平，方能令人折服。）连我们这样没时运的，他都想到了；若是那林丫头，他把我们娘儿们正眼也不瞧，那里还肯送我们东西？』（赵姨娘也反林？似不值一提，但恰恰是这里，赵代表了主流民意。）

一面想，一面把那些东西翻来复去的摆弄，瞧看一回。忽然想到宝钗系王夫人的亲戚，为何不到王夫人跟前卖个好儿呢。自己便蝎蝎螫螫的，（蝎蝎螫螫，这样的人我也见过。）拿着东西，走至王夫人房中，站在旁边，陪笑说道：『这是宝姑娘才刚给环哥儿的。难为宝姑娘这么年轻的人，想的这么周到，真是大户人家的姑娘，又展样，又大方，怎么叫人不敬服呢！怪不得老太太和太太成日家都夸他疼他。我也不敢自专就收起来，特拿来给太太瞧瞧，太太也喜欢喜欢。』王夫人听了，早知道来意了。又见他说的不伦不类，（不能算「不伦不类」。）也不便不理他，说道：『你只管收了去给环哥玩罢。』赵姨娘来时，兴兴头头，谁知抹了一鼻子灰，满心生气，又不敢露出来，只得讪讪的出来了。（赵姨娘感谢宝钗，到王夫人处说一说，自是讨好之意，起码并无不良动机。却也「抹了一鼻子灰」，对赵氏，未免太苛刻了。）到了自己房中，将东西丢在一边，嘴里咕咕哝哝，自言自语道：『这个又算了个什么儿呢？』一面坐着各自生了一回闷气。

王夫人对赵的态度实在太不友好。此节她至少应该礼貌礼貌，对付对付。人家来表示对你的外甥女的感谢称颂，你怎么一句人话也不说呢？作者的倾向也完全是肯定王而嘲弄赵。

却说莺儿带着老婆子们送东西回来，回复了宝钗，将众人道谢的话并赏赐的银钱都回完了，那老婆子便出去了。莺儿走近前来一步，挨着宝钗，悄悄的说道：『刚才我到琏二奶奶那边，看见二奶奶一脸的怒气。（风暴来了。）我送下东西出来时，悄悄的问小红，说：「刚才二奶奶从老太太屋里回来，不似往日欢天喜地的，叫了平儿去，唧唧咕咕的不知说了些什么。」看那个光景，倒像有什么大事的是的。姑娘没听见那边老太太有什么事？』（小红长舌。）宝钗听了，也自己纳闷，想不出凤姐是为什么有气，便道：『各人家有各人的事，咱们那里管得？你去倒茶去罢。』（此话好。）莺儿于是出来，自己倒茶不提。

且说宝玉送了黛玉回来，想着黛玉的孤苦，不免也替他伤感起来，因要将这话告诉袭人。进来时，却只有麝月秋纹在房中，因问：『你袭人姐姐那里去了？』麝月道：『左不过在这几个院里，那里就丢了他，一时不见就这样找。』宝玉笑着道：『不是怕丢了他。因我方才到林姑娘那边，见林姑娘又正伤心呢。问起来，却是为宝姐姐送了他东西，他看见是他家乡的土物，不免对景伤情。我要告诉你袭人姐姐，叫他闲时过去劝劝。』正说着，晴雯进来了，因问宝玉道：『你回来了！你又要叫劝谁？』宝玉将方才的话说了一遍。晴雯道：『袭人姐姐才出去，听见他说要到琏二奶奶那边去。保不住还到林姑娘那里。』宝玉听了，便不言语。秋纹倒了茶来，宝玉漱了一口，递给小丫头子，心中着实不自在，就随便歪在床上。（『着实不自在』的潜台词是什么？）

却说袭人因宝玉出门，自己作了回活计，忽想起凤姐身上不好，这几日也没有过去看看，况闻贾琏出门，正好大家说说话儿，便告诉晴雯：『好生在屋里，别都出去了，叫二爷回来抓不着人。』晴雯道：『嗳哟，这屋里单你一个人记挂着他，我们都是白闲着，混饭吃的！』

袭人笑着，也不答言，就走了。刚来到沁芳桥畔，那时正是夏末秋初，池中莲藕，新残相间，红绿离披。袭人走着，沿堤看玩了一回，猛抬头，看见那边葡萄架底下，有人拿着掸子，在那里掸什么呢。走到跟前，却是老祝妈。那老婆子见了袭人，便笑嘻嘻的迎上来，说道：『姑娘怎么今日得工夫出来逛逛？』袭人道：『可不是。我要到琏二奶奶家瞧瞧去。你在这里做什么呢？』那婆子道：『我在这里赶蜜蜂儿。今年三伏里雨水少，这果子树上都有虫子，把果子吃的疤瘌流星的，掉了好些下来。姑娘还不知道呢，这马蜂最可恶的，一嘟噜上，只咬破三两个儿，那破的水滴到好的上头，连这一嘟噜都是要烂的。姑娘，你瞧，咱们说话的空儿没赶，就落上许多了。』（承包激发出来的积极性。）袭人道：『你就是不住手的赶，也赶不了许多。你倒是告诉买办，叫他多多做些小冷布口袋儿，一嘟噜套上一个，又透风，又不遭塌。』（袭人也懂园艺？此法至今使用。）

山雨欲来风满楼。大闹宁国府前夕，先是莺儿向宝钗报信儿，宝钗虽说不管闲事，悬念已给读者造成。接着袭人也感到了异常气氛，虽是若无其事地说闲话，却更给人以风暴前的平静的感觉。袭人来凤处的路上插一段防蜂护果的插曲，虽似信手拈来的闲笔，实则既略补补园子承包后的景象描写，又进一步烘托了风暴欲来，阴云密布，而众人万物尚无察觉的气氛，欲擒故纵，大家风度。

婆子笑道：『倒是姑娘说的是。我今年才管上，那里知道这个巧法儿呢。』因又笑着说道：『今年果子虽遭塌了些，味儿倒好，不信摘一个姑娘尝尝。』袭人正色道：『这那里使得？不但没熟吃不得，就是熟了，上头还没有供鲜，咱们倒先吃了。你是府里使老了的，难道连这个规矩都不懂了？』（果然坚持规范。）老祝妈忙笑道：『姑娘说得是。我见姑娘很喜欢，我才敢这么说，可就把规矩错了。我可是老糊涂了。』袭人道：『这也没有什么，只是你们有年纪的老奶奶们，别先领着头儿这么着就好了。』

说着，遂一径出了园门，来到凤姐这边。一到院里，只听凤姐说道：『天理良心！我在这屋里熬的越发成了贼了。』袭人听见这话，知道有原故了，又不好回来，又不好进去，遂把脚步放重些，隔着窗子问道：『平姐姐在家里呢么？』平儿忙答应着迎出来。袭人便问：『二奶奶也在家里呢么？身上可大安了？』说着，已走进来。

以此回为例，先追光宝钗薛姨妈，联系到薛蟠，转到薛蟠身上；然后薛蟠送礼，追光转到黛玉；宝玉来安慰黛玉，追光在宝玉；宝玉派袭人，又追袭人；袭人至凤姐，才打开大灯把戏有声有色地围绕凤姐演出来。长篇小说，视角变幻，方见全景，亦似散点透视，领着读者且行且看地逛大观园。这种结构方法颇有气派，唯须作者确有多方洞察，写到哪儿都有把握都不『手软』的本领。

凤姐装着在床上歪着呢。见袭人进来，也笑着站起来，说：『好些了，叫你惦着。怎么这几日不过我们这边坐坐？』（从凤姐的态度可以看出袭人的地位。）袭人道：『奶奶身上欠安，本该天天过来请安才是。但只怕奶奶身上不爽快，倒要静静儿的歇歇儿，我们来了，倒吵的奶奶烦。』凤姐笑道：『烦是没的话。倒是宝兄弟屋里虽然人多，也就靠着你一个照看他，也实在的离不开。（只靠一人，太宠太过了。『红』到这里，各种人物性格已经锁定，然后各种场合都是这种性格，缺少变数了。）我常听见平儿告诉我说，你背地里还惦着我，常常问我。这就是你尽心了。』（不忘致敬。致敬学也是一门学问，与名单学、座次学一样，不可不察。）一面说着，叫平儿挪了张杌子放在床傍边，让袭人坐下。丰儿端进茶来。袭人欠身道：『妹妹坐着罢。』一面说闲话儿。只见一个小丫头子在外间屋里，悄悄的和平儿说：『旺儿来了，在二门上伺候着呢。』又听见平儿也悄悄的道：『知道了。叫他先去，回来再来，别在门口儿站着。』袭人知他们有事，（『他们有事』四字，把读者的心亦高高吊起。）又说了两句话，便起身要走。凤姐道：『闲来坐坐，说说话儿，我倒开心。』因命：『平儿，送送你妹妹。』平儿答应着，送出来。只见两三个小丫头子都在那里，屏声息气，齐齐的伺候着。袭人不知何事，便自去了。

却说平儿送出袭人，进来回道：『旺儿才来了，因袭人在这里，我叫他先到外头等等儿。这会子还是立刻叫他呢，还是等着？请奶奶的示下。』凤姐道：『叫他来！』平儿忙叫小丫头去传旺儿进来。这里凤姐又问平儿：『你到底是怎么听见说的？』平儿道：『就是头里那小丫头子的话。（注意：最早打报告的不是别的恶人，而是平儿。这说明，平儿确实忠于凤姐。其次，当一个『好人』忠于一个恶人的时候，这个好人究竟会起什么作用？思之怵然。第三，此后平儿又十分同情与帮助尤二姐，这不也是自相矛盾乃至人格分裂吗？）他说他在二门里头，听见外头两个小厮说：「这个新二奶奶比咱们旧二奶奶还俊呢，脾气儿也好。」不知是旺儿是谁，吆喝了两个一顿，说：「什么新奶奶旧奶奶的，还不快悄悄儿的呢！叫里头知道了，把你的舌头还割了呢。」』平儿正说着，只见一个小丫头进来，回说：『旺儿在外头伺候着呢。』凤姐听了，冷笑了一声，（冷笑一声，已进入格杀状态。）说：『叫他进来！』那小丫头出来说：『奶奶叫呢。』旺儿连忙答应着进来。

旺儿请了安，在外间门口垂手侍立。凤姐儿道：『你过来，我问你话。』旺儿才走到里间门旁站着。凤姐儿道：『你二爷在外头弄了人，你知道不知道？』旺儿又打着千儿，回道：『奴才天天在二门上听差事，如何能知道二爷外头的事呢。』凤姐冷笑道：（又一声冷笑，尖刀已指向咽喉。）『你自然「不知道」！你要知道，你怎么拦人呢。』旺儿见这话，知道刚才的话已经走了风了，料着瞒不过，便又跪回道：『奴才实在不知，就是头里兴儿和喜儿两个人在那里混说，奴才吆喝了他们两句。内中深情底里，奴才不知道，不敢妄回。求奶奶问兴儿，他是长跟二爷出门的。』凤姐儿听了，下死劲啐了一口，骂道：『你们这一起没良心的混账忘八崽子！都是一条藤儿，打量我不知道呢！（没良心云云，可叹。凤姐要求别人对她讲良心，实际仍是要求单向效忠。）先去给我把兴儿那个忘八崽子叫了来，你也不许走。问明白了他，回来再问你。好，好，好！这才是我使出来的好人呢。』那旺儿只得连声答应几个『是』，磕了个头，爬起来出去，去叫兴儿。

却说兴儿正在账房儿里和小厮们玩呢，听见说『二奶奶叫』，先唬了一跳，却也想不到是这件事发作了，连忙跟着旺儿进来。旺儿先进去，回说：『兴儿来了。』凤姐儿厉声道：『叫他！』那兴儿听见这个声音儿，早已没了主意了，只得乍着胆子进来。凤姐儿一见便说：『好小子啊！你和你爷办的好事啊！你只实说罢。』（这也叫纸包不住火。）兴儿一闻此言，又看见凤姐儿气色，及两边丫头们的光景，早唬软了，不觉跪下，只是磕头。凤姐儿道：『论起这事来，我也听见说不与你相干，但只你不早来回我知道，这就是你的不是了。你要实说了，我还饶你；再有一字虚言，你先摸摸你腔子上几个脑袋瓜子！』（网开一面。坦白从宽，抗拒从严。）兴儿战兢兢的朝上磕头道：『奶奶问的是什么事，奴才和爷办坏了？』凤姐听了，一腔火都发作起来，喝命：『打嘴巴！』旺儿过来才要打时，凤姐儿骂道：『什么糊涂忘八崽子！叫他自己打，用你打吗！一会子你再各人打你那嘴巴子还不迟呢。』（这个场面很有某种特色或意味。主人让奴才自打嘴巴，个中似亦有一种权力的铺展，权力的自我欣赏与自我满足。）那兴儿真个自己左右开弓，打了自己十几个嘴巴。凤姐儿喝声『站住』，问道：『你二爷外头娶了什么「新奶奶」「旧奶奶」的事，你大概不知道啊！』兴儿见说出这件事来，越发着了慌，连忙把帽子抓下来，在砖地上咕咚咕咚碰的头山响，口里直说道：『只求奶奶超生，奴才再也不敢撒一个字儿的谎。』凤姐道：『快说！』

兴儿直蹶蹶的跪起来回道：『这事头里奴才也不知道。就是这一天，东府里大老爷送了殡，俞禄往珍大爷庙里去领银子，二爷同着蓉哥儿到了东府里，道儿上，爷儿两个说起珍大奶奶那边的二位姨奶奶来，二爷夸他好，蓉哥儿哄着二爷，说把二姨奶奶说给二爷。……』凤姐听到这里，使劲啐道：『呸！没脸的忘八蛋！他是你那一门子的姨奶奶？』兴儿忙又磕头说：『奴才该死！』往上瞅着，不敢言语。（骂人也是权威的一种体现，不甚文明的体现。骂与被骂，也是等级的体现。凤姐一骂，所向披靡。兴儿一被骂，五体投地。）凤姐儿道：『完了吗？怎么不说了？』兴儿方才又回道：『奶奶恕奴才，奴才才敢回。』凤姐啐道：『放你妈的屁！这还什么「恕」不「恕」了。你好生给我往下说，好多着呢！』兴儿又回道：『二爷听见这个话，就喜欢了。后来奴才也不知道怎么就弄真了。』凤姐微微冷笑道：『这个自然么，你可那里知道呢！你知道的只怕都烦了呢！——是了，说底下的罢。』兴儿回道：『后来就是蓉哥儿给二爷找了房子。』凤姐忙问道：『如今房子在那里？』兴儿道：『就在府后头。』凤姐儿道：『哦！』回头瞅着平儿，道：『咱们都是死人哪。你听听！』（拉平儿。平儿的汇报中不排除她自身的嫉妒因素。贾琏当时如果不瞒平儿，把平儿拉住稳住，可能情况还好一些。但也可能更早暴露。）平儿也不敢作声。兴儿又回道：『珍大爷那边给了张家不知多少银子，那张家就不问了。』凤姐道：『这里头怎么又扯拉上什么张家李家咧呢？』兴儿回道：『奶奶不知道。这二奶奶……』刚说到这里，又自己打了个嘴巴，把凤姐儿倒怄笑了，两边的丫头也都抿嘴儿笑。兴儿想了想，说道：『那珍大奶奶的妹子……』凤姐儿接着道：『怎么样？快说呀！』兴儿道：『那珍大奶奶的妹子原来从小儿有人家的，姓张，叫什么张华，如今穷的待好讨饭。珍大爷许了他银子，他就退了亲了。』

凤姐儿听到这里，点了点头儿，（抓住了破绽，直觉地认定已经有了由头，所以才点头。）回头便望丫头们说道：『你
们都听见了？小忘八崽子，头里他还说他不知道呢！』兴儿又回道：『后来二爷才叫人裱糊了房子，娶过来了。』凤姐道：『打那里娶过来的？』兴儿回道：『就在他老娘家抬过来的。』凤姐道：『好罢咧！』（『好罢咧』，这是
喝倒彩。）又问：『没人送亲么？』兴儿道：『就是蓉哥儿，还有几个丫头老婆子们，没别人。』凤姐道：『你大
奶奶没来吗？』兴儿道：『过了两天，大奶奶才拿了些东西来瞧的。』凤姐儿笑了一笑，回头向平儿道：『怪道
那两天二爷称赞大奶奶不离嘴呢！』掉过脸来，又问兴儿：『谁伏侍呢？自然是你了。』兴儿赶着碰头，不言语。凤姐又问：『前头那些日子，说给那府里办事，想来办的就是这个了？』兴儿回道：『也有办事的时候，也有往
新房子里去的时候。』凤姐又问道：『谁和他住着呢？』兴儿道：『他母亲和他妹子。昨儿他妹子各人抹了脖子了。』凤姐道：『这又为什么？』

兴儿随将柳湘莲的事说了一遍。凤姐道：『这个人还算造化高，省了当那出名儿的忘八。』（从凤姐的评论，可以想象柳湘莲不得不退婚时的思想压力。）因又问道：『没了别的事了么？』兴儿道：『别的事奴才不知道。奴才刚才说的，字字是实，没一字虚假，奶奶问出来，只管打死奴才，奴才也无怨的。』凤姐低了一回头，便又指着兴儿说道：『你这个猴儿崽子，就该打死！这有什么瞒着我的？你想着瞒了我，就在你那糊涂爷跟前讨了好儿了，你新奶奶好疼你。我不看你刚才还有点怕惧儿，不敢撒谎，我把你的腿不给你砸折了呢。』（当奴才的必须有点『怕惧儿』，不然早该打死。）说着，喝声：『起去！』

兴儿磕了个头，才爬起来，退到外间门口，不敢就走。凤姐道：『过来，我还有话呢。』兴儿赶忙垂手敬听。凤姐道：『你忙什么，新奶奶等着赏你什么呢？』兴儿也不敢抬头。凤姐道：『你从今日不许过去。我什么时候叫你，你什么时候到。迟一步儿，你试试！出去罢。』兴儿忙答应几个『是』，退出门来。凤姐又叫道：『兴儿！』兴儿赶忙答应回来。（放一步又叫回来一次，这种拉锯法使兴儿深刻意识到自己已是凤姐猫爪下的一只老鼠，很有心理威慑震服的作用。）凤姐道：『快出去告诉你二爷去，是不是啊？』兴儿回道：『奴才不敢。』凤姐道：『你出去提一个字儿，堤防你的皮！』兴儿连忙答应着，才出去了。凤姐又叫：『旺儿呢？』旺儿连忙答应着过来。凤姐把眼直瞪瞪的瞅了两三句话的工夫，才说道：『好旺儿，很好，去罢！外头有人提一个字儿，全在你身上！』（无言威胁。也算善于以威压人。）旺儿答应着，也慢慢的退出去了。凤姐便叫：『倒茶。』小丫头子们会意，都出去了。

这里凤姐才和平儿说：『你都听见了？这才好呢。』平儿也不敢答言，只好陪笑儿。凤姐越想越气，歪在枕上，只是出神。忽然眉头一皱，计上心来，便叫：『平儿，来！』平儿连忙答应过来。凤姐道：『我想这件事，竟该这么着才好，也不必等你二爷回来再商议了。』未知凤姐如何办理，下回分解。

（这场『斗争』，对于凤姐来说亦非易事。盖男权中心，贾琏本有权三妻四妾。故凤姐需要尽知始末过节，方能抓住对方弱点，发起一场攻击。凤姐盛怒中保持着冷静，『审案子』的时候有威猛亦有清醒策略，注意弄清情况以使自己立于不败之地，然后定出来连环妙计，棋看许多步以外，着实有两下子。她的这些本事，都不是读书读出来的，而是天才加锻炼、经验加自信的产物。书呆子们给凤姐提鞋，也不够格儿！）

贾琏的卑鄙伎俩，兴儿的油嘴滑舌，毕竟不是熙凤的谋略加权威的对手。风云突变，旦夕祸福，一波未平，一波又起，波谲云诡，放大了说，直如政治敌友与国际恩仇一般。

第六十八回　苦尤娘赚入大观园　酸凤姐大闹宁国府

话说贾琏起身去后，偏值平安节度巡边在外，约一个月方回。贾琏未得确信，只得住在下处等候。及至回来相见，将事办妥，回程已是将近两个月的限了。谁知凤姐早已心下算定，只待贾琏前脚走了，回来便传各色匠役，收拾东厢房三间，照依自己正室一样，装饰陈设。至十四日，便回明贾母王夫人，说十五日一早要到姑子庙进香去。只带了平儿、丰儿、周瑞媳妇、旺儿媳妇四人。未曾上车便将原故告诉了众人，又吩咐众男人，素衣素盖，一径前来。兴儿引路，一直到了门前扣门。鲍二家的开了，（此鲍二家的已不是与贾琏鬼混的那一位了。）兴儿笑道：『快回二奶奶去，大奶奶来了。』

鲍二家的听了这句，顶梁骨走了真魂，忙飞跑进去，报与尤二姐。尤二姐虽也一惊，但已来了，只得以礼相见，于是忙整理衣裳，迎了出来。至门前，凤姐方下了车进来。尤二姐一看，只见头上都是素白银器，身上月白缎子袄，青缎子掐银线的褂子，白绫素裙，眉弯柳叶，高吊两梢，目横丹凤，神凝三角，俏丽若三春之桃，清素若九秋之菊。（风度仪表，居高临下，压人一头。凤姐的这套贵族行头，本身就有一种权威。）周瑞旺儿二女人搀进院来。尤二姐陪笑，忙迎上来拜见，张口便叫『姐姐』，说：『今儿实在不知姐姐下降，不曾远接，求姐姐宽恕。』说着便拜下去。凤姐忙陪笑还礼不迭，（能在此时陪笑还礼不迭，道行深了去啦。）赶着拉了二姐儿的手，同入房中。

凤姐上坐，尤二姐忙命丫头拿褥子，便行礼，说：『妹子年轻，一从到了这里，诸事都是家母和家姐商议主张。今日有幸相会，若姐姐不弃寒微，凡事求姐姐的指教，情愿倾心吐胆，只伏侍姐姐。』说着便行下礼去。凤姐忙下坐还礼，口内忙说：『皆因我也年轻，向来总是妇人的见识，一味的只劝二爷保重，别在外边眠花宿柳，恐怕叫太爷太太耽心。（拉上二姐讲什么『你我』。）这都是你我的痴心，谁知二爷倒错会了我的意。若是外头包占人家姐妹的，瞒着家里也罢了，如今娶了妹妹作二房，这样正经大事，也是人家大礼，却不曾合我说。我也劝过二爷，早办这件事，果然生个一男半女，连我后来都有靠。（以子之矛，攻子之盾。与你想到一处去了，请君入瓮吧。）不想二爷反以我为那等妒忌不堪的人，私自办了，真真叫我有冤没处诉。我的这个心，惟有天地可表。头十天头里，我就风闻着知道了，只怕二爷又错想了，遂不敢先说。（这个楔子打得有意思，更使一切珠圆玉润。）目今可巧二爷走了，所以我亲自过来拜见，还求妹妹体谅我的苦心，起动大驾，挪到家中，你我姐妹同居同处，彼此合心合意的谏劝二爷，谨慎世务，保养身子，这才是大礼呢。要是妹妹在外头，我在里头，妹妹白想想，我心里怎么过的去呢？再者叫外人听着，不但我的名声不好听，就是妹妹的名儿也不雅。况且二爷的名声，更是要紧的，倒是谈论咱们姐儿们还是小事。至如那起下人小人之言，未免见我素昔持家太严，背地里加减些话，也是常情。（料事如神，句句字字入辙合韵。）妹妹想，自古说的：「当家人，恶水缸。」我要真有不容人的地方儿，上头三层公婆，当中有好几位姐姐、妹妹、妯娌们，怎么容的我到今儿？（此话不无道理。总不能由兴儿旺儿们民主推举『当家人』。）就是今儿二爷私娶妹妹，在外头住着，我自然不愿意见妹妹，我如何还肯来呢？拿着我们平儿说起，我还劝着二爷收他呢。这都是天地神佛不忍我叫这些小人们遭塌，所以才叫我知道了。（天命可依，高屋建瓴。）我如今来求妹妹，进去和我一样儿，住的、使的、穿的、带的，你我总是一样儿。妹妹这样伶透人，若肯真心帮我，我也得个膀臂。不但那起小人，堵了他们的嘴，就是二爷，回来一见，他也从今后悔，我并不是那种吃醋调歪的人。（不忘辩诬。）你我三人，更加和气。所以妹妹还是我的大恩人呢。要是妹妹不合我去，我也愿意搬出来陪着妹妹住，只求妹妹在二爷跟前替我好言方便方便，留我个站脚的地方儿，就叫我伏侍妹妹梳头洗脸，我也是愿意的。』（此话软中含硬，有威胁性。软硬哭笑虚实，语言的生动性、煽情性与论辩性发挥到了极致，便比毒药炸弹还危险了。）说着，便呜呜咽咽，哭将起来。

凤姐这一套，堂堂正正，亲亲热热，端的是威力强大的糖衣炮弹！不说谎，办不了事？

尤二姐见了这般，也不免滴下泪来。二人对见了礼，分序坐下。平儿忙也上来要见礼。尤二姐见他打扮不凡，举止品貌不俗，料定是平儿，连忙亲身挽住，只叫：『妹子快别这么着，你我是一样的人。』凤姐忙也起身笑说：『折死了他！妹妹只管受礼，他原是咱们的丫头。以后快别如此。』（这样说，能满足尤二姐的虚荣。尤二姐能同意嫁贾琏，本身就有攀附因素。她的悲剧，从她这方面找原因，恐在这里。）说着，又命周瑞家的从包袱里取出四匹上色尺头，四对金珠簪环，为拜见礼。尤二姐忙拜受了。二人吃茶，对诉已往之事。凤姐口内全是自怨自错：『怨不得别人，如今只求妹妹疼我。』

尤二姐见了这般，便认做他是个极好的人，小人不遂心，诽谤主子，亦是常理，故倾心吐胆，叙了一回，竟把凤姐认为知己。（尤二姐似不至如此天真。成了白痴！）又见周瑞家的等媳妇在傍边称扬凤姐素日许多善政，只是吃亏心太痴了，反惹人怨。又说：『已经预备了房屋，奶奶进去，一看便知。』尤氏心中早已要进去同住方好，（早要进去是关键。否则，至少你可以等贾琏回来再定夺。）今又见如此，岂有不允之理，便说：『原该跟了姐姐去，只是这里怎么样？』凤姐儿道：『这有何难，妹妹的箱笼细软，只管着小厮搬了进去。这些粗夯货，要他无用，还叫人看着。妹妹说谁妥当，就叫谁在这里。』二姐忙说：『今日既遇见姐姐，这一进去，凡事只凭姐姐料理。我也来的日子浅，也不曾当过家，世事不明白，如何敢作主？这几件箱柜拿进去罢。我也没有什么东西，那也不过是二爷的。』

凤姐听了，便命周瑞家的记清，好生看管着，抬到东厢房去。于是催着尤二姐急忙穿戴了，二人携手上车，又同坐一处，又悄悄的告诉他：『我们家的规矩大。这事老太太、太太一概不知，倘或知道二爷孝中娶你，管把他打死了。如今且别见老太太、太太。我们有一个花园子极大，姊妹们住着，容易没人去的。你这一去，且在园子里住两天，等我设个法子，回明白了，那时再见方妥。』（抓住弱点，设计了大圈套中的小圈套。）尤二姐道：『任凭姐姐裁处。』那些跟车的小厮们皆是预先说明的，如今不进大门，只奔后门来。下了车，赶散众人，凤姐便带了尤氏进了大观园的后门，来到李纨处相见了。

看第六十三、六十四两回，尤二姐并非善类，而今上套后一切听任摆布宰杀，完全成了面捏的。即使一只老鼠，打死也还要吱一声，况一个人！一个原因是作者追求情节的戏剧化效果，以尤二姐的百依百顺反衬凤姐的阴毒狠辣与机关算尽。再一个解释就是尤二姐从一开始就有以低攀高、以贱附贵、以污逐清的弱势和心理障碍，硬气不起来。

彼时大观园中十停人已有九停人知道了。今忽见凤姐带了进来，引动众人来看问。尤二姐一一见过。众人见了他标致和悦，无不称扬。凤姐一一的吩咐了众人：『都不许在外走了风声，若老太太、太太知道，我先叫你们死！』园中婆子丫头都素惧凤姐的，又系贾琏国孝家孝中所行之事，知道关系非常，都不管这事。凤姐悄悄的求李纨收养几日，『等回明了，我们自然过去的。』李纨见凤姐那边已收拾房屋，况在服中不好倡扬，自是正理，只得收下权住。（『善德』如李纨，也成凤姐的合作伙伴了。）凤姐又便去将他的丫头一概退出，又将自己的一个丫头送他使唤，暗暗吩咐他园中媳妇们：『好生照看着他。若有走失逃亡，一概和你们算账！』（先控制住。问题是尤二姐不可能没有察觉没有反应。）自己又去暗中行事，不提。且说合家之人，都暗暗的纳罕，说：『看他如何这等贤惠起来了？』那尤二姐得了这个所在，又见园中姊妹个个相好，倒也安心乐业的，自为得所。

谁知三日之后，丫头善姐便有些不服使唤起来。尤二姐因说：『没了头油了，你去回一声大奶奶，拿些个来。』善姐儿便道：『二奶奶，你怎么不知好歹，没眼色？我们奶奶，天天承应了老太太，又要承应这边太太，那边太太。这些姑娘妯娌们，上下几百男女，天天起来，都等他的话。一日少说，大事也有一二十件，小事还有三五十件。外头的从娘娘算起，以至王公侯伯家，多少人情，家里又有这些亲友的调度。银子上千钱上万，一日都从他一个手一个心一个嘴里调度，那里为这点子小事去烦琐他？我劝你能着些儿罢。咱们又不是明媒正娶来的，这是他亘古少有一个贤良人，才这样待你。若差些儿的人，听见了这话，吵嚷起来，把你丢在外，死不死，活不活，你又敢怎么样呢？』（这样的声口偏出自『善』姐。）

一夕话，说的尤氏垂了头。自为有这一说，少不得将就些罢了。那善姐渐渐的连饭也怕端来与他吃，或早一顿，晚一顿，所拿来的东西，皆是剩的。尤二姐说过两次，他反瞪着眼叫唤起来。尤二姐又怕人笑他不安本分，少不得忍着。（已经进入了凤姐的势力范围。）隔上五日八日，见凤姐一面，那凤姐却是和容悦色，满嘴里『好妹妹』不离口。又说：『倘有下人不到之处，你降不住他们，只管告诉我，我打他们。』（所谓瞪着眼睛说瞎话。）又骂丫头媳妇说：『我深知你们软的欺，硬的怕，背着我的眼，还怕谁？倘或二奶奶告诉我一个「不」字，我要你们的命！』（借刀杀人，反充好人，阴损的看家本领。）二姐见他这般好心，『既有他，我又何必多事？下人不知好歹是常情。我若告了他们，受了委屈，反叫人说我不贤良。』因此，反替他们遮掩。

凤姐此次行事，是一个高峰，也是一个转折。她想得周密，做得有条不紊，有理有利，且阴且毒，能放能收，兼软兼硬，亦文亦武，又哭又闹，简直是艺术！害人的艺术，整人的艺术，坑人的艺术。应把此节编成教材供有志整人的人学习。她大获全胜，所向无敌，然而她还是错了。

凤姐一面使旺儿在外打听这尤二姐的底细，皆已深知，果然已有了婆家的，女婿现在才十九岁，成日在外赌博，不理世业，家私花尽，父母撵他出来，现在赌钱场存身。父亲得了尤婆子二十两银子，退了亲的，这女婿尚不知道，原来这小伙子名叫张华。（到处都有流氓痞子，专门充任为凤姐这样的人打前锋的角色。）凤姐都一一尽知原委，便封了二十两银子与旺儿，悄悄命他将张华勾来养活，『着他写一张状子，只要往有司衙门中告去，就告琏二爷国孝家孝的里头，背旨瞒亲，仗财依势，强逼退亲，停妻再娶。』这张华也深知利害，先不敢造次。（尤二姐的经验与智商不应在张华之下。）旺儿回了凤姐。凤姐气的骂道：『真是他娘的话！怨不得俗语说，「癞狗扶不上墙」的。你细细说给他：「就告我们家谋反也没事的。」不过是借他一闹，大家没脸；（『借他一闹，大家没脸』八字，不失为一种『斗争方式』。）若告大了，我这里自然能够平服的。』旺儿领命，只得细说与张华。凤姐又吩咐旺儿：『他若告了你，你就和他对词去。』如此，如此，『我自有道理。』旺儿听了有他做主，便又命张华状子上添上自己，说：『你只告我来旺的过付，一应调唆二爷做的。』（以便以守为攻。）张华便得了主意，和旺儿商议定了，写一张状子，次日便往都察院处喊了冤。

（贾珍贾琏贾蓉确实下流，而且大大地输了理。骂骂闹闹他们，好。只是牺牲的是弱者尤二姐，令人不忍。作者欲表现凤姐阴毒，选取了这个情节。但这个情节的处理却带有男权中心的腐朽观念，凤姐酸，珍琏蓉之辈则既烂且丑，怎能反忽略了他们的罪责呢？）

察院坐堂，看状子是告贾琏的事，上面有『家人旺儿一人』，只得遣人去贾府传旺儿来对词。青衣不敢擅入，只命人带信。那旺儿正等着此事，不用人带信，早在这条街上等候，见了青衣，反迎上去，笑道：『起动众位弟兄，必是兄弟的事犯了。说不得，快来套上。』（旺儿亦颇有身手。）众青衣不敢，只说：『好哥哥，你去罢，别闹了。』于是来至堂前跪下。察院命将状子与他看。旺儿故意看了一遍，碰头说道：『这事小的尽知的，主人实有此事。但这张华素与小的有仇，故意拉小的在内，其中还有人，求老爷再问。』（凤姐山头，强将手下无弱兵。）张华碰头道：『虽还有人，小的不敢告他，所以只告他下人。』旺儿故意的说：『糊涂东西！还不快说出来！这是朝廷公堂上，凭是主子，也要说出来。』张华便说出贾蓉来。察院听了无法，只得去传贾蓉。

凤姐又差了庆儿暗中打听告了起来，便忙将王信唤来，告诉他此事，命他托察院，只要虚张声势，惊唬而已，又拿了三百银子与他去打点。（总导演！）是夜，王信到了察院私宅，安了根子。那察院深知原委，收了赃银。次日回堂，只说张华无赖，因拖欠了贾府银两，妄捏虚词，诬赖良人。都察院素与王子腾相好，王信也只到家说了一声，况是贾府之人，巴不得了事，便也不提此事，且都收下，只传贾蓉对词。

且说贾蓉等正忙着贾琏之事，忽有人来报信，说：『有人告你们。』如此如此，这般这般，『快作道理』。贾蓉慌忙来回贾珍。贾珍说：『我却早防着这一着。倒难为他这么大胆子。』即刻封了二百银子，着人去打点察院；又命家人去对词。正商议间，又报：『西府二奶奶来了。』贾珍听了这话，倒吃了一惊，忙要同贾蓉藏躲，不想凤姐已经进来了，说：『好大哥哥，带着兄弟们干的好事！』贾蓉忙请安。凤姐拉了他就进来。贾珍还笑说：『好生伺候你婶娘，吩咐他们杀牲口备饭。』说着，忙命备马，躲往别处去了。

这里凤姐带着贾蓉，走来上房。尤氏也迎了出来，见凤姐气色不善，忙说：『什么事情，这等忙？』凤姐照脸一口唾沫，啐道：（啐，也是一种『身体语言』。话如钢刀，句句见红。）『你尤家的丫头没人要了，偷着只往贾家送！难道贾家的人都是好的，普天下死绝了男人了？你就愿意给，也要三媒六证，大家说明，成个体统才是。你痰迷了心，脂油蒙了窍！国孝，家孝，（『国孝家孝』四字，把他们压得大气也不敢出。）两重在身，就把个人送来了。这会子被人告我们，连官场中都知道我利害，吃醋。如今指名提我，要休我。我到了你家，干错了什么不是，你这等害我？或是老太太、太太有了话在你心里，使你们做这个圈套要挤我出去。如今咱们两个一同去见官，分证明白，回来咱们公同请了合族中人，大家觌面说个明白，给我休书，我就走！』一面说，一面大哭，拉着尤氏，只要去见官。

急的贾蓉跪在地下碰头，只求：『婶娘息怒。』凤姐一面又骂贾蓉：『天打雷劈、五鬼分尸的没良心的种子！不知天有多高，地有多厚，成日家调三窝四，干出这些没脸面、没王法、败家破业的营生。你死了的娘，阴灵儿也不容你！祖宗也不容你！还敢来劝我！』（骂也是功夫。凤姐直把他们批了个体无完肤。）一面骂着，扬手就打。唬的贾蓉忙碰头说道：『婶娘别动气，只求婶娘别看这一时，侄儿千日的不好，还有一日的好。实在婶娘气不平，何用婶娘打，让我自己打，婶娘只别生气。』说着，就自己举手，左右开弓，自己打了一顿嘴巴子。又自己问着自己说：『以后可还再顾三不顾四的不了？以后还单听叔叔的话，不听婶娘的话不了？婶娘是怎么样待你？你这样没天理，没良心的！』（比兴儿更下流。这样的人渣，什么坏事做不出来！）众人又要劝，又要笑，又不敢笑。

尤氏本与凤姐关系尚好，这次当了靶子。还是女人可怜，固是贾珍躲了凤姐，却也说明凤姐放了贾珍。如她与贾珍直接闹，诸多不便。于是拉出尤氏顶缸，也是柿子捡软的捏。凤姐一面借刀杀人，一面亲临前线，并非一味躲在后面，这倒还不失强人本色。

凤姐儿滚到尤氏怀里，（『滚』字传神。）嚎天动地，大放悲声，只说：『给你兄弟娶亲，我不恼。为什么使他违旨背亲，把混账名儿给我背着？咱们只去见官，省得捕快皂隶来拿。再者，咱们过去，只见了老太太、太太和众族人等，大家公议了，我既不贤良，又不容男人买妾，只给我一纸休书，我即刻就走！你妹妹，我也亲身接了来家，生怕老太太、太太生气，也不敢回，现在三茶六饭，金奴银婢的住在园里。我这里赶着收拾房子，和我一样的，只等老太太知道了。原说下接过来大家安分守己的，我也不提旧事了。谁知又是有了人家的。不知你们干的什么事，我一概又不知道。如今告我，我昨日急了，纵然我出去见官，也丢的是你贾家的脸，少不得偷把太太的五百两银子去打点。如今把我的人还锁在那里。』说了又哭，哭了又骂，后来又放声大哭起『祖宗爷娘』来，又要寻死撞头。（凤姐文武昆乱不挡，全活！）把个尤氏揉搓成一个面团儿，衣服上全是眼泪鼻涕，并无别话，只骂贾蓉：『混账种子，和你老子做的好事！我当初就说使不得。』

凤姐儿听说这话，哭着，搬着尤氏的脸，问道：『你发昏了？你的嘴里难道有茄子塞着？不就是他们给你嚼子衔上了？为什么你不来告诉我去？你若告诉了我，这会子不平安了？怎么得惊官动府，闹到这步田地，你这会子还怨他们！自古说「妻贤夫祸少」，「表壮不如里壮」，你但凡是个好的，他们怎敢闹出这些事来！你又没才干，又没口齿，锯了嘴子的葫芦，就只会一味瞎小心，应贤良的名儿。』（穷寇更追，批深批烂。）说着，啐了几口。尤氏也哭道：『何曾不是这样，你不信，问问跟的人，我何曾不劝的？也要他们听。叫我怎么样的呢，怨不得妹妹生气，我只好听着罢了。』众姬妾丫头媳妇等已是黑压压跪了一地，（黑压压跪了一地，这样的场面，堪称愚昧野蛮却又感人。）陪笑求说：『二奶奶最圣明的。虽是我们奶奶的不是，奶奶也作践够了，当着奴才们。奶奶们素日何等的好来？如今还求奶奶给留点脸儿。』

说着，捧上茶来。凤姐也摔了。一回止了哭，挽头发。又喝骂贾蓉：『出去请你父亲来，我对面问他！问亲大爷的孝才五七，侄儿娶亲，这个礼，我竟不知道，我问问也好学着，日后教导你们。』贾蓉只跪着磕头，说：『这事原不与父母相干，都是侄儿一时吃了屎，调唆着叔叔做的。（一时吃屎，厚颜无赖的语言传统。）我父亲也并不知道。婶娘若闹起来了，侄儿也是个死；只求婶娘责罚侄儿，侄儿谨领。这官司还求婶娘料理，侄儿竟不能干这大事。（蓉明知『官司』亦是凤一手导演的。）婶娘是何等样人，岂不知俗语说的「胳膊折了，在袖子里」。侄儿糊涂死了，既做了不肖的事，就和那猫儿狗儿一般，少不得还要婶娘费心费力，将外头的事压住了才好。只当婶娘有这个不孝的儿子，就惹了祸，少不得委屈还要疼他呢。』说着，又磕头不绝。

凤姐儿见了贾蓉这般，心里早软了，（如何能软？与贾蓉有什么特殊关系？）只是碍着众人面前，又难改过口来，因叹了一口气，一面拉起来，一面拭泪向尤氏道：『嫂子也别恼我，我是年轻不知事的人，一听见有人告诉了，把我吓昏了，不知方才怎么得罪了嫂子，可是蓉儿说的，「胳膊折了，往袖子里藏」，少不得嫂子要体谅我。还得嫂子在哥哥跟前替说，先把这官司按下去才好。』（有节制。大步进退。）尤氏贾蓉一齐都说：『婶娘放心，横竖一点儿连累不着叔叔。婶娘方才说用过了五百两银子，少不得我们娘儿们打点五百两银子，与婶娘送过去，好补上，岂有叫婶娘又添上亏空的？（经济补偿，在任何时候任何事情上都是可行的。）越发我们该死了！但还有一件，老太太、太太们跟前，婶娘还要周全方便，别提这些话才好。』（他们知道，老太太、太太那里，还是凤说得上话，凤的优势在这里。）

凤姐又冷笑道：『你们饶压着我的头干了事，这会子反哄着我替你们周全。我就是个傻子，也傻不到如此。嫂子的兄弟，是我的什么人？嫂子既怕他绝了后，我难道不更比嫂子更怕绝后？嫂子的妹子，就合我的妹子一样，我一听见这话，连夜喜欢的连觉也睡不成，赶着传人收拾了屋子，就要接进来同住；（全天下的理你都占了，全天下的情也都归了你！）倒是奴才小人的见识，他们倒说：「奶奶太性急，若是我们的主意，先回了老太太、太太，看是怎么样，再收拾房子去接也不迟。」我听了这话，叫我要打要骂的，才不言语了。谁知偏不称我的意，偏偏的打嘴，半空里又跑出一个张华来告了一状。我听见了，吓的两夜没合眼儿，又不敢声张，只得求人去打听这张华是什么人，这样大胆。打听了两日，谁知是个无赖的花子。（用自己的良好心愿铺垫反衬张华告状事件的恶劣影响。）小子们说：「原是二奶奶许了他的。他如今急了，冻死饿死，也是个死；现在有这个理他抓住，纵然死了，死的倒比冻死饿死还值些。怎么怨的他告呢？这事原是爷做事太急了。国孝一层罪，家孝一层罪，背着父母私娶一层罪，停妻再娶一层罪。俗语说，『拚着一身剐，敢把皇帝拉下马』，（红卫兵造反精神的滥觞，源远流长，『红』已有之。）他穷疯了的人，什么事做不出来？况且他又拿着这满理，不告等请不成？」嫂子说，我就是个韩信、张良，听了这话，也把智谋吓回去了。（也是韩、张一流人物。中国有一种尚计谋的传统——这里叫做『智谋』。）你兄弟又不在家，又没个人商量，少不得拿钱去垫补。谁知越使钱越叫人拿住刀靶儿，越发来讹。我是「耗子尾巴上长疮，多少脓血儿」。所以又急又气，少不得来找嫂子……』尤氏贾蓉不等说完，都说：『不必操心，自然要料理的。』贾蓉又道：『那张华不过是穷急，故舍了命才告咱们；如今想了一个法儿：竟许他些银子，只叫他应个妄告不实之罪，咱们替他打点完了官司，他出来时，再给他些银子就完了。』凤姐儿咂着嘴儿笑道：（要哭就哭，要笑就笑，要滚就滚，要咂嘴就咂嘴。凤姐有表演情绪的天赋。）『难为你想！怨不得你顾一不顾二的，做出这些事来。原来你竟是这么个糊涂东西，我往日错看了你了！若你说的这话，他暂且依了，且打出官司来，又得了银子，眼前自然了事。这些人既是无赖的小人，银子到手，三天五天，一光了，他又来找事讹诈，再要叨蹬起来，咱们虽不怕，终久耽心。搁不住他说：「既没毛病，为什么反给他银子？」』（凤姐已估计了各种可能各种反应和各种对策反对策。）

贾蓉原是个明白人，听如此一说，便笑道：『我还有个主意，「来是是非人，去是是非者」，这事还得我了才好。如今我竟问张华个主意，或是他定要人，或是他愿意了事，得钱再娶？他若说一定要人，少不得我去劝我二姨娘，叫他出来，仍嫁他去；若说要钱，我们这里少不得给他。』（贾蓉这等人竟可以无耻到这样！）凤姐儿忙道：『虽如此说，我断舍不得你姨娘出去，我也断不肯使他出去。他要出去了，咱们家的脸在那里呢？依我说，只宁可多给钱为是。』贾蓉深知凤姐儿口虽如此，心却是巴不得只要本人出来，他却做贤良人。如今怎么说，且只好怎么依。（亦是知音，默契。）

凤姐儿欢喜了，又说：『外头好处了，家里终久怎么样？你也同我过去回明了老太太、太太才是。』尤氏又慌了，拉凤姐儿讨主意，如何撒谎才好。（凤姐是主意篓子，是足智多谋。尤氏只能俯首称臣。当然，向凤讨主意，也是尤的投降姿态。）凤姐冷笑道：『既没这本事，谁叫你干这样事？这会子这个腔儿，我又看不上。待要不出个主意，我又是个心慈面软的人，凭人撮弄我，我还是一片傻心肠儿，说不得让我应起来。（要傻就傻，得心应手，十八般武艺，使全了抡圆了。）如今你们只别露面，我只领了你妹妹去给老太太、太太们磕头，只说原系你妹妹我看上了很好，正因我不大生长，原说买两个人放在屋里的；今既见了你妹妹很好，而且又是亲上做亲的，我愿意娶来做二房。皆因家中父母姊妹亲近一概死了，日子又难，不能度日，若等百日之后，无奈无家无业，实在难等。就算我的主意，接了进来，已经厢房收拾了出来，暂且住着，等满了孝再圆房儿。仗着我这不害臊的脸，死活赖去，有了不是，也寻不着你们了。你们娘儿两个想想，可使得？』（主意是全套的，是外面一套，里面一套的。）尤氏贾蓉一齐笑说：『到底是婶娘宽洪大量，足智多谋。等事妥了，少不得我们娘儿们过去拜谢。』凤姐儿道：『罢呀！还说什么拜谢不拜谢。』（毕竟凤姐占理，充分发挥占理优势。事到如此，实际上包括贾蓉尤氏，已准备牺牲尤二姐了。）又指着贾蓉道：『今日我才知道你了！』说着，把脸却一红，眼圈儿也红了，似有多少委屈的光景。（不无女性魅力。）贾蓉忙陪笑道：『罢了！婶娘少不得饶恕我这一次。』说着，忙又跪下。凤姐儿扭过脸去不理他，贾蓉才笑着起来了。

这里尤氏忙命丫头们舀水，取妆奁，伏侍凤姐儿梳洗了，赶忙又命预备晚饭。凤姐儿执意要回去，尤氏拦着道：『今日二婶子要这么走了，我们什么脸还过那边去呢？』贾蓉旁边笑着劝道：『好婶娘，亲婶娘！以后蓉儿要不真心孝顺你老人家，天打雷劈！』凤姐瞅了他一眼，啐道：『谁信你这……』说到这里，又咽住了。一面老婆丫头们摆上酒菜来，尤氏亲自递酒布菜。贾蓉又跪着敬了一钟酒。凤姐便合尤氏吃了饭。丫头们递了漱口茶，又捧上茶来。凤姐喝了两口，便起身回去。贾蓉亲身送过来，才回去了。

且说凤姐进园中，将此事告诉尤二姐，又说，我怎么操心，又怎么打听，须得如此如此，方保得众人无罪，『少不得咱们按着这个法儿来才好』。（凤不仅占情占理而且占有智力优势、操作优势，分析当时已经造成的情况，竟无法不按凤的路线图行事。）不知凤姐又变出什么法儿来，且听下回分解。

此事其实凤姐占尽优势。势高，理正，上下内外都有亲信，有胆识有想象力。于是她发挥尽了优势。势不可挡，谁能不服？然而，优势用尽，也就没有优势了。

将欲废之，必固兴之。将欲取之，必固予之。拉大旗作虎皮，善于表演，特级演员。内外勾结，不怕闹大，再闹大。占（垄断）理更要占情。量小非君子，无毒不丈夫。全了。

第六十九回 弄小巧用借剑杀人 觉大限吞生金自逝

话说尤二姐听了，又感激不尽，只得跟了他来。（尤二姐益发白痴化了。）尤氏那边怎好不过来呢，少不得也过来，跟着凤姐去回，方是大礼。凤姐笑说：『你只别说话，等我去说。』（全部掌握在手心里。）尤氏道：『这个自然。但有了不是，往你身上推就是了。』说着，大家先至贾母房中。

正值贾母和园中姐妹们说笑解闷，忽见凤姐带了一个标致小媳妇进来，忙觑着眼瞧说：『这是谁家的孩子？好可怜见儿的。』凤姐上来笑道：『老祖宗倒细细的看看，好不好？』说着，忙拉二姐儿说：『这是太婆婆，快磕头。』二姐儿忙行了大礼，展拜起来。又指着众姊妹说，这是某人某人：『你先认了，太太瞧过了，再见礼。』二姐儿听了，一一又从新故意的问过，垂头站在傍边。贾母上下瞧了一遍，因又笑问：『你姓什么？今年十几岁了？』凤姐忙又笑说：『老祖宗且别问，只说比我俊不俊。』（即使是表演，亦不大易。）贾母又带上了眼镜，命鸳鸯琥珀：『把那孩子拉过来，我瞧瞧肉皮儿。』众人都报着嘴儿笑着，推他上去。贾母细瞧了一遍，又命琥珀：『拿出他的手来我瞧瞧。』（像审视一个物品。这种说法和做法是源于对人身依附关系即自己是这些人的主子的确认。）贾母瞧毕，摘下眼镜来，笑说道：『竟是个齐全孩子，我看比你还俊些呢。』

凤姐听说，笑着，忙跪下将尤氏那边所编之话，一五一十，细细的说了一遍，『少不得老祖宗发慈心，先许他进来住，一年后再圆房』。贾母听了道：『这有什么不是？既你这样贤良，很好，只是一年后方可圆得房。』（贾母的话客观上是凤氏『灭尤工程』的一部分，起了对尤的麻醉作用。）凤姐听了，叩头起来，又求贾母：『着两个女人，一同带去见太太们，说是老祖宗的主意。』贾母依允，遂使二人带去，见了邢夫人等。（凤姐以退为进，以让尤见天日为代价达到一年内使之不得圆房的目的。不怕付出代价，方能行事。凤的一大成功在于能使自己的心计化为贾母的旨意。）王夫人正因他风声不雅，深为忧虑；见他今行此事，岂有不乐之理。于是尤二姐自此见了天日，挪到厢房居住。

凤姐一面使人暗暗调唆张华，只叫他要原妻，这里还有许多陪送外，还给他银子安家过活。张华原无胆无心告贾家的，后来又见贾蓉打发了人对词，（贾蓉这种人最恶劣，原来怎么『帮』贾琏和尤二姐，现在又怎么『帮』凤。）那人原说的：『张华先退了亲，我们原是亲戚，接到家里住着是真，并无娶之说。皆因张华拖欠我们的债务，追索不给，方诬赖小的主儿。』那个察院都和贾王两处有瓜葛，况又受了贿，只说张华无赖，以穷讹诈，状子也不收，打了一顿赶出来。庆儿在外，替张华打点，也没打重，又调唆张华，说：『这亲原是你家定的，你只要亲事，官必还断给你。』于是又告。王信那边又透了消息与察院。察院便批：『张华借欠贾宅之银，令其限内按数交还；其所定之亲，仍令其有力时娶回。』又传了他父亲来，当堂批准。他父亲亦系庆儿说明，乐得人财两进，便去贾家领人。（这是『灭尤工程』的另一层面。）

凤姐一面吓的来回贾母说，如此这般：『都是珍大嫂子干事不明，那家并没退准，惹人告了，如此官断。』

贾母听了，忙唤尤氏过来，说他做事不妥：『既你妹子从小与人指腹为婚，又没退断，使人告了，这是什么事？』

尤氏听了，只得说：『他连银子都收了，怎么没准？』凤姐在旁说：『张华的口供上现说没见银子，也没见人去。他老子又说：「原是亲家说过一次，并没应准。亲家死了，你们就接进去做二房。」如此没有对证话，只好由他去混说。幸而琏二爷不在家，不曾圆房，这还无妨；只是人已来了，怎好送回去？岂不伤脸！』（乱中取胜，乱中利用局势达到自己的目的，固奸雄的常用办法。）贾母道：『又没圆房，没的强占人家有夫之人，名声也不好，不如送给他去。那里寻不出好人来？』（贾母也如傀儡般被凤牵着线行动。）尤二姐听了，又回贾母说：『我母亲实于某年某月某日，给了他二十两银子退准的。他因穷极了告，又翻了口。我姐姐原没错办。』贾母听了，便说：『可见刁民难惹。既这样，凤丫头去料理料理。』（合乎贾母身份性格，不必太具体，而是交给凤酌处。）

凤姐听了，无法，只得应着回来，只命人去找贾蓉。贾蓉深知凤姐之意，若要使张华领回，成何体统？便回了贾珍，暗暗遣人去说张华：『你如今既有许多银子，何必定要原人。若只管执定主意，岂不怕爷们一怒，寻出一个由头，你死无葬身之地。你有了银子，回家去，什么好人寻不出来。你若走呢，还赏你些路费。』张华听了，心中想了一想：『这倒是好主意。』和父母商议已定，约共也得了有百金，父子次日起了五更便回原籍去了。

贾蓉打听得真了，来回了贾母凤姐，说：『张华父子妄告不实，惧罪逃走，官府亦知此情，也不追究，大事完毕。』（倒完全没有贾珍的事了。）凤姐听了，心中一想：『若必定着张华带回二姐儿去，未免贾琏回来，再花几个钱包占住，不怕张华不依，还是二姐儿不去，自己拉绊着还妥当，且再作道理。只是张华此去，不知何往，倘或他再将此事告诉了别人，或日后再寻出这由头来翻案，岂不是自己害了自己。原先不该如此将刀靶付给外

人去的。』因此，悔之不迭。复又想了一个主意出来，悄命旺儿遣人寻着了他，或讹他做贼，和他打官司，将他治死，或暗使人算计，务将张华治死，方剪草除根，保住自己的名誉。（势要做足，事要适可而止。卸磨杀驴，杀人灭口。凤姐做得越足，后遗症越大。）

旺儿领命出来，回家细想：『人已走了完事，何必如此大做？人命关天，非同儿戏。我且哄过他去，再作道理。』因此在外躲了几日，回来告诉凤姐，只说：『张华因有几两银子在身上，逃去第三日，在京口地界，五更天，已被截路打闷棍的打死了。他老子唬死在店房，在那里验尸掩埋。』（你糊弄我，我糊弄你。留下了后患。）凤姐听了不信，说：『你要撒谎，我再使人打听出来，敲你的牙！』自此，方丢过不究。（旺儿的谎近小儿科，凤姐不太可能丢手。）凤姐和尤二姐和美非常，竟比亲姊妹还胜几倍。（通过大闹宁国府，其实做好了交易。尤氏贾蓉等牺牲尤二姐，唯凤之命是从，然后与凤修好。）

那贾琏一日事毕回来，先到了新房中，已经静悄悄的关锁，只有一个看房子的老头儿。贾琏问起原故，老头子细说原委，贾琏只在镫中跺足。（贾琏并非没有任何保护尤二姐的办法，除非他并不想如此做。正如尤氏、贾蓉一般，贾琏也未必愿意为尤二姐真格的得罪元配夫人、王夫人侄女、老祖宗宠物、大拿王熙凤。）少不得来见贾赦与邢夫人，将所完之事回明。贾赦十分欢喜，说他中用，赏了他一百两银子，又将房中一个十七岁的丫鬟名唤秋桐赏他为妾。贾琏叩头领去，喜之不尽。见了贾母合家众人，回来见了凤姐，未免脸上有些愧色。谁知凤姐反不似往日容颜，同尤二姐一同出来，叙了寒温。贾琏将秋桐之事说了，未免脸上有些得意骄矜之色。凤姐听了，忙命两个媳妇坐车在那边接了来。

心中一刺未除，又平空添了一刺，说不得且吞声忍气，将好颜面换出来遮饰。一面又命摆酒接风，一面带了秋桐来见贾母与王夫人等。（可见，底下的事并非凤姐一手牵线。她把尤二姐弄进来一为便于控制，二为洗刷自己的醋名。至于进一步整死尤二姐，尚无计划。）贾琏心中也暗暗的纳罕。

且说凤姐在家，外面待尤二姐自不必说的，只是心中又怀别意，无人处，只和尤二姐说：『妹妹的声名很不好听，连老太太、太太们都知道了，说妹妹在家做女孩儿就不干净，又和姐夫来往太密，「没人要的，你拣了来。还不休了，再寻好的」。（确有辫子可抓。）我听见这话气的什么儿是的。后来打听是谁说的，又察不出来。这日久天长，这些奴才们跟前，怎么说嘴？我反弄了鱼头来拆。』说了两遍，自己先气病了，茶饭也不吃。除了平儿，众丫头媳妇无不言三语四，（『无不言三语四』云云，与后文有矛盾。）指桑说槐，暗相讥刺。

且说秋桐自以为系贾赦之赐，无人僭他的，连凤姐平儿皆不放在眼里，岂容那先奸后娶、没汉子要的妇女？凤姐听了暗乐。自从装病，（是否全属装病，存疑。）便不和尤二姐吃饭，每日只命人端了菜饭到他房中去吃，那茶饭都系不堪之物。平儿看不过，自拿钱出来弄菜与他吃，或是有时只说和他园中去玩，在园中厨内另做了汤水与他吃。也无人敢回凤姐。只有秋桐撞见了，便去说舌，告诉凤姐说：『奶奶名声，生是平儿弄坏了的。这样好菜好饭，浪着不吃，却往园里去偷吃。』凤姐听了，骂平儿说：『人家养猫拿耗子，我的猫只倒咬鸡！』平儿不敢多说，自此也要远着了，又暗恨秋桐。

园中姊妹一干人暗为二姐耽心。虽都不敢多言，却也可怜。每常无人处，说起话来，尤二姐淌眼抹泪，又不敢抱怨凤姐儿，因无一点坏形。贾琏来家时，见了凤姐贤良，也便不留心。况素昔见贾赦姬妾丫鬟最多，贾琏每怀不轨之心，只未敢下手；今日天缘凑巧，竟把秋桐赏了他，真是一对烈火干柴，如胶投漆，燕尔新婚，连日那里拆得开？贾琏在二姐身上之心，也渐渐淡了，（这才是尤二姐必死的主要原因。）只有秋桐一人是命。凤姐虽恨秋桐，且喜借他先可发脱二姐，用『借刀杀人』之法，『坐山观虎斗』，等秋桐杀了尤二姐，自己再杀秋桐。主意一定，没人处，常又私劝秋桐说：『你年轻不知事。他现是二房奶奶，你爷心坎儿上的人，我还让他三分，你去硬碰他，岂不是自寻其死？』（借刀、观虎云云，是阴谋策略的核心性一着。）

尤二姐一役，凤姐八面来风，八面威风，大获全胜。但这是从战役上说的。从战略上说，凤姐犯了大错误，她经过此事彻底得罪了贾琏，留下了隐患。最终，此事谁也不会原谅她了。她的主要危险是非主流派的她的婆婆邢夫人，她本应团结住贾琏才能立稳脚步。所以说『机关算尽太聪明，反算了卿卿性命』。毕竟是妇人之见，意气用事，又太逞能了。

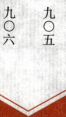

那秋桐听了这话，越发恼了，天天大口乱骂，说：『奶奶是软弱人，那等贤惠，我却做不来。奶奶把素日的威风，怎么都没了？奶奶宽洪大量，我却眼里揉不下沙子去。让我和这娼妇做一回，他才知道呢！』（秋桐这种女人俯拾皆是，越是男权中心，越培养被压迫玩弄的女性中的恶戾之气。）凤姐儿在屋里，只装不敢出声儿。（凤姐装成胆小鬼，其实是难以令人相信的，只能说明，装者愿装，信者愿信，既然害尤方便，就先联合起来灭尤。）气得尤二姐在房里哭泣，连饭也不吃，又不敢告诉贾琏。

次日，贾母见他眼睛红红的肿了，问他，又不敢说。秋桐正是抓乖卖俏之时，他便悄悄的告诉贾母王夫人等说：『他专会作死，好好的，成天丧声嚎气。背地里咒二奶奶和我早死了，好和二爷一心一计的过。』贾母听了，便说：『人太生娇俏了，可知心就嫉妒了。凤丫头倒好意待他，他倒这样争锋吃醋，可知是个贱骨头。』（事情的发展未免太直线太一边倒了。）因此，渐次便不大喜欢。众人见贾母不喜，不免又往上践踏起来。（尤二姐百依百顺，除平儿偶一为之无一人对尤做一点好事等等，略显简单化了。）弄得这尤二姐要死不能，要生不得。还是亏了平儿时常背着凤姐与他排解。

那尤二姐原是『花为肠肚，雪作肌肤』的人，如何经得这般折磨？（花雪之喻，不完全贴切，尤二姐不是林黛玉，尤二姐是见过世面，经过摔打的，本身不应是省油的灯。）不过受了一月的暗气，便恹恹得了一病，四肢懒动，茶饭不进，渐次黄瘦下去。夜来合上眼，只见他妹妹手捧鸳鸯宝剑，前来说：『姐姐，你为人一生心痴意软，终久吃了亏。休信那妒妇花言巧语，外作贤良，内藏奸猾。他发恨定要弄你一死方罢。若妹子在世，断不肯令你进来；就是进来，亦不容他这样。此亦系理数应然，只因你前生淫奔不才，使人家丧伦败行，故有此报。（许多事情是解释不清楚的，只有拉上『理数』帮忙，才于不合理处弄合理了。每遇生死关头，便有神魔梦幻。）你速依我，将此剑斩了那妒妇，一同归至警幻案下，听其发落。不然，你则白白的丧命，且无人怜惜。』尤二姐哭道：『妹妹，我一生品行既亏，今日之报，既系当然，何必又生杀戮之冤。』三姐儿听了，长叹而去。尤二姐惊醒，却是一梦。等贾琏来看时，因无人在侧，便哭着合贾琏说：『我这病不能好了。我来了半年，腹中已有身孕，但不能预知男女。倘老天可怜，生了下来还可；若不然，我的命还不能保，何况于他。』贾琏亦哭说：『你只放心，我请名人来医治。』于是出去，即刻请医生。

谁知王太医此时也病了，（是巧合，是『理数』，还是幕后黑手的安排？）亦谋干了军前效力，回来好讨荫封的。小厮们走去，便仍旧请了那年给晴雯看病的太医胡君荣来。诊视了，说是经水不调，全要大补。贾琏便说：『已是三月庚信不行，又常呕酸，恐是胎气。』胡君荣听了，复又命老婆子请出手来，再看了半日，说：『若论胎气，肝脉自应洪大；然木盛则生火，经水不调，亦皆因肝木所致。医生要大胆，须得请奶奶将金面略露一露，医生观看气色，方敢下药。』贾琏无法，只得命将帐子掀起一缝。尤二姐露出脸来。胡君荣一见，早已魂飞天外，那里还能辨气色？一时掩了帐子，贾琏陪他出来，问是如何。胡太医道：『不是胎气，只是瘀血凝结。如今只以下瘀通经要紧。』于是写了一方，作辞而去。（胡君荣也来起一大哄。尤二姐气数已尽，才碰上这样的医生。）

贾琏令人送了药礼，抓了药来，调服下去。只半夜光景，尤二姐腹痛不止，谁知竟将一个已成形的男胎打了下来。于是血行不止，二姐就昏迷过去。（此节略感过分，对尤二姐的描写中仍有戒淫的恐吓、教化意识。）贾琏闻知，大骂胡君荣。一面遣人再去请医调治，一面命人去找胡君荣。胡君荣听了，早已卷包逃走。这里太医便说：『本来血气亏弱，受胎以来，想是着了些气恼，郁结于中。这位先生误用虎狼之剂，如今大人元气，十伤八九，一时难保就愈。煎丸二药并行，还要一些闲言闲事不闻，庶可望好。』说毕而去，也开了个煎药方子并调元散郁的丸药方子去了。急的贾琏便查：『谁请的姓胡的来！』一时查出，便打了个半死。

凤姐比贾琏更急十倍，只说：『咱们命中无子，好容易有了一个，遇见这样没本事的大夫来。』于是天地前烧香礼拜，自己通诚祷告，说：『我情愿有病，只求尤氏妹子身体大愈，再得怀胎，生一男子，我愿吃常斋念佛。』（又是充分地、满溢地戏剧化处理。）贾琏众人见了，无不称赞。贾琏与秋桐在一处。凤姐又做汤做水的着人送与二姐，又叫人出去算命打卦，偏算命的回来又说：『系属兔的阴人冲犯了。』大家算将起来，只有秋桐一人属兔，说他冲的。（『众人』专信虚言佞语。）

秋桐见贾琏请医调治，打人骂狗，为二姐十分尽心，他心中早浸了一缸醋在内了，今又听见如此，说他冲了，凤姐儿又劝他说：『你暂且别处躲几日再来。』秋桐便气得哭骂道：『理那起饿不死的杂种，混嚼舌根！我和他「井水不犯河水」，怎么就冲了他？好个「爱八哥儿」！在外头什么人不见，偏来了就冲了。我还要问问他呢，到底是那里来的孩子？他不过哄我们那个棉花耳朵的爷罢了。纵有孩子，也不知张姓王姓的。奶奶希罕那杂种羔子，我不喜欢！谁不会养！一年半载养一个，倒还是一点搀杂没有的呢！』（越闹越粗鄙，越闹越荒诞。秋桐何等人模狗样，揭开面纱，竟是这样粗鄙赤裸，下贱不堪！）众人又要笑，又不敢笑。

可巧邢夫人过来请安，秋桐便告诉邢夫人说：『二爷二奶奶要撵我回去，我没了安身之处，太太好歹开恩。』邢夫人听说，便数落了凤姐儿一阵，又骂贾琏：『不知好歹的种子！凭他怎样，是你父亲给的，为个外来的撵他，连老子都没了。』说着，赌气去了。秋桐更又得意，越发走到窗户根底下，大骂起来。（走到窗户根底下大骂，至今国人有类似陋习与表演。）尤二姐听了，不免更添烦恼。晚间，贾琏在秋桐房中歇了，凤姐已睡，平儿过尤二姐那边来劝慰了一番，尤二姐哭诉了一回。平儿又嘱咐了几句，夜已深了，方去安息。（尤二姐一事，充分表现出贾府的彻底乱套。）

这里尤二姐心中自思：『病已成势，日无所养，反有所伤，料定必不能好。况胎已经打下，无甚悬心，何必受这些零气？不如一死，倒还干净。常听见人说「生金子可以坠死」，岂不比上吊自刎又干净。』（据科普杂志载文称，

吞金不能达到自杀的结果。红楼二尤故事更多戏剧性，不足为实。）想毕，扎挣起来，打开箱子，找出一块生金，也不知多重。哭了一回，外边将近五更天气，那二姐咬牙狠命，便吞入口中，几次直脖，方咽了下去。于是赶忙将衣裳首饰穿戴齐整，上炕躺下。当下人不知，鬼不觉。

到第二日早晨，丫鬟媳妇们见他不叫人，乐得自己梳洗。凤姐秋桐都上去了。平儿看不过，说丫头们：『就只配没人心的打着骂着使也罢了，一个病人，也不知可怜可怜。他虽好性儿，你们也该拿出个样儿来，别太过逾了，「墙倒众人推」。』丫鬟听了，急推房门进来看时，却穿戴的齐齐整整，死在炕上。于是方吓慌了，喊叫起来。平儿进来瞧见，不禁大哭。众人虽素昔惧怕凤姐，然想二姐儿实在温和怜下，如今死去，谁不伤心落泪，只不敢与凤姐看见。（众人既承认尤温和怜下，不可能全都墙倒众人推。成也平儿，败也平儿。第一名告密者是平儿，平儿对此毫无忏悔吗？国人果真毫无忏悔的意识吗？凤姐也算『血债累累』了。）

尤二姐之死，小说着重渲染凤姐之阴毒，将凤作为主凶。其实，主凶是贾琏，其次贾珍、贾蓉，其次凤姐、秋桐，以及一些旁人——包括胡君荣医生。评点者揣摩，尤二姐故事是雪芹年轻时听说的一个糊涂故事，未知其详，颇为之悲，又痛恨凤式人物之毒，便生发连续编纂了这一悲剧故事。当然，不论谁是主凶，从中足以见封建制度封建家庭之吃人性质。

当下合宅皆知。贾琏进来，搂尸大哭不止。凤姐也假意哭道：『狠心的妹妹！你怎么丢下我去了，辜负了我的心！』尤氏贾蓉等也都来哭了一场，劝住贾琏。贾琏便回了王夫人，讨了梨香院，停放五日，挪到铁槛寺去。王夫人依允。贾琏忙命人去往梨香院收拾停灵，将二姐儿抬上去，用衾单盖了，八个小厮和八个媳妇围随，抬往

梨香院来。那里已请下天文生，择定明日寅时入殓大吉，五日出不得，七日方可。贾琏道：『竟是七日。因家叔家兄皆在外，小丧不敢久停。』天文生应诺，写了殃榜而去。宝玉一早过来，陪哭一场。众族人也都来了。贾琏忙进去找凤姐，要银子治办丧礼。

凤姐儿见抬了出去，推有病，回：『老太太、太太说我病着，忌三房，不许我去，我因此也不出来穿孝。』（此前凤姐很注意表演，为何现在如此赤膊？尤二姐已死，秋桐已是主要对立面，更不必如此了。嫌过分了。）且往大观园中来，绕过群山，至北界墙根下，往外听了一言半语，回来又回贾母说如此这般。贾母道：『信他胡说！谁家痨病死的孩子不烧了，也认真开丧破土起来。既是二房一场，也是夫妻情分，停五七日，抬出来，或一烧，或乱葬埂上埋了完事。』凤姐笑道：『可是这话，我又不敢劝他。』

正说着，丫鬟来请凤姐，说：『二爷在家，等着奶奶拿银子呢。』凤姐儿只得来了，便问他：『什么银子？家里近日艰难，你还不知道？咱们的月例，一月赶不上一月。昨儿我把两个金项圈当了三百银，用剩了还有二十几两，你要就拿去。』说着，命平儿拿了出来，递与贾琏，指着贾母有话，又去了。恨得贾琏无话可说，只得开了尤氏箱笼，去拿自己体己。及开了箱柜，一点无存，只有些拆簪烂花，并几件半新不旧的绸绢衣裳，都是尤二姐素日穿的，不禁又伤心哭了。（『一家人』之间的切齿痛恨，冤冤相报，而又隐藏在孝悌忠信的天伦之乐里。）想着他死得不分明，又不敢说。只得自己用个包袱，一齐包了，也不用小厮丫鬟来拿，自己提着来烧。

平儿又是伤心，又是好笑，忙将二百两一包碎银子偷了出来，悄递与贾琏，说：『你别言语才好，你要哭，外头有多少哭不得？又跑了这里来点眼。』（平儿的这一类表现太多了，反让人烦心。）贾琏便说道：『你说得是。』接了银子，又将一条汗巾递与平儿，说：『这是他家常系的，你好生替我收着，做个念心儿。』平儿只得接了，自己收去。贾琏有了银子，命人买板进来，连夜赶造，一面分派了人口守灵。晚上自己也不进去，只在这里伴宿。

要知端的，下回分解。

美丽的大观园，美丽的宝玉加众女儿身边，积累着这样多的罪恶、人命、阴谋、虚伪、乖戾、仇恨……

贾府不灭，世无天理，中国不发生风暴怒火，世无天理！

第七十回 林黛玉重建桃花社 史湘云偶填柳絮词

话说贾琏自在梨香院伴宿七日夜，天天僧道不断做佛事。贾母唤了他去，吩咐不许送往家庙中，（贾母如此帮凶，亦不无人为处理痕迹。）贾琏无法，只得又和时觉说了，就在尤三姐之上点了一个穴，破土埋葬。那日送殡，只不过族中人与王姓夫妇、尤氏婆媳而已。凤姐一应不管，只凭他自去办理。

又因年近岁逼，诸事烦杂不算外，又有林之孝开了一个人单子来回：共有八个二十五岁的单身小厮，应该娶妻成房的，等里面有该放的丫头，好求指配。凤姐看了，先来问贾母和王夫人。大家商议，虽有几个应该发配的，奈各人皆有缘故：第一个鸳鸯，发誓不去。自那日之后，一向未与宝玉说话，也不盛妆浓饰。众人见他志坚，不好相强。第二个琥珀，现又有病，这次不能了。彩云因近日和贾环分崩，染了无医之症。只有凤姐儿和李纨房中粗使的大丫头发出去了。其余年纪未足，令他们外头自娶去了。（说了也就了了。）

原来这一向因凤姐儿病了，李纨探春料理家务，不得闲暇，接着过年过节，许多杂事，竟将诗社搁起。（非诗的生活排挤着、冷落着诗。）如今仲春天气，虽得了工夫，争奈宝玉因柳湘莲遁迹空门，又闻得尤三姐自刎，尤二姐被凤姐逼死，又兼柳五儿自那夜监禁之后，病越重了。连连接接，闲愁胡恨，一重不了一重添，弄的情色若痴，语言常乱，似染怔忡之病。（怔忡之病，现已露头。此后便要一再怔忡，益发怔忡。）慌的袭人等又不敢回贾母，只百般逗他玩笑。

这日清晨方醒，只听得外间屋内咭咭呱呱，笑声不断。袭人因笑说：『你快出去拉拉罢，晴雯和麝月两个人按住芳官那里隔肢呢。』（厄运到来之前，玩吧。）宝玉听了，忙披上灰鼠长袄出来一瞧，只见他三人被褥尚未叠起，大衣也未穿：那晴雯只穿着葱绿杭绸小袄，红绸子小衣儿，披着头发，骑在芳官身上。麝月是红绫抹胸，披着一身旧衣，在那里抓芳官的肋肢。芳官却仰在炕上，穿着撒花紧身儿，红裤绿袜，两脚乱蹬，笑的喘不过气来。（这种少男少女的生活描写，生动有趣。）宝玉忙笑说：『两个大的欺负一个小的，等我来挠你们。』说着也上床来隔肢晴雯。（宝玉常站在芳官一边。）晴雯触痒，笑的忙丢下芳官，来合宝玉对抓，芳官趁势将晴雯按倒。袭人看他四人滚在一处，倒好笑，因说道：『仔细冻着了，可不是玩的。都穿上衣裳罢！』

忽见碧月进来说：『昨儿晚上，奶奶在这里把块绢子忘了，不知可在这里没有？』春燕忙应道：『有。我在地下捡起来，不知是那一位的，才洗了，刚晾着，还没有干呢。』碧月见他四人乱滚，因笑道：『倒是你们这里热闹，大清早起就咭咭呱呱的玩到一处。』宝玉笑道：『你们那里人也不少，怎么不玩？』碧月道：『我们奶奶不玩，把两个姨娘和姑娘也都拘住了。如今琴姑娘跟了老太太前头去，更冷冷清清的了。两个姨娘到明年冬天，也都家去了，更那才冷清呢。你瞧瞧，宝姑娘那里出去了一个香菱，就像短了多少人是的，把个云姑娘落了单了。』

正说着，见湘云又打发了翠缕来说：『请二爷快出去瞧好诗。』宝玉听了，忙梳洗出来，果见黛玉、宝钗、湘云、宝琴、探春，都在那里，手里拿着一篇诗看。（除宝玉之怔忡外，这些个青春少女，对于各种变故人命，竟毫无反应，照旧吟诗行乐吗？）见他来时，都笑道：『这会子还不起来！咱们的诗社散了一年，也没有一个人作兴作兴。如今正是初春时节，万物更新，正该鼓舞另立起来才好。』湘云笑道：『一起诗社时是秋天，就不应发达的。如今却好万物逢春，咱们重新整理起这个社来，自然要有生趣儿。况这首「桃花诗」又好，就把海棠社改作桃花社，岂不大妙？』（又抓振兴创作了。）宝玉听着点头，说：『很好。』且忙着要诗看。众人都又说：『咱们此时就访稻香老农去，大家议定好起社。』说着，一齐站起来，都往稻香村来。宝玉一壁走，一壁看，写着是：

（果然，狠毒奸诈血腥脏臭的一页掀过去，又要雅一雅、飘一飘了。真是全方位的展现，全色调的渲染，全姿态的表演。波澜起伏，变化无穷。大哉曹子！）

桃花行（也是一种跳荡。从秋桐的粗话跳到《桃花行》上来，令人觉得它雅得泄气。在粗野面前，文雅显得何等苍白！何等条条道道！）

桃花帘外东风软，桃花帘内晨妆懒；
帘外桃花帘内人，人与桃花隔不远。
东风有意揭帘栊，花欲窥人帘不卷。

桃花帘外开仍旧，帘中人比桃花瘦；
花解怜人花也愁，隔帘消息风吹透。
风透帘栊花满庭，庭前春色倍伤情；
闲苔院落门空掩，斜日栏杆人自凭。
凭栏人向东风泣，茜裙偷傍桃花立；
桃花桃叶乱纷纷，花绽新红叶凝碧。
树树烟封一万株，烘楼照壁红模糊。
天机烧破鸳鸯锦，春酣欲醒移珊枕；
侍女金盆进水来，香泉饮蘸胭脂冷。
胭脂鲜艳何相类，花之颜色人之泪；
若将人泪比桃花，泪自长流花自媚。
泪眼观花泪易干，泪干春尽花憔悴。（已有葬花在先，再怎么写也赶不上，更超不过了。）
憔悴花遮憔悴人，花飞人倦易黄昏；
一声杜宇春归尽，寂寞帘栊空月痕！（这首诗写得平面，单薄，缺少内蕴。）

宝玉看了，并不称赞，痴痴呆呆，竟要滚下泪来，又怕众人看见，忙自己拭了。因问：『你们怎么得来？』宝琴笑道：『你猜是谁做的？』宝玉笑道：『自然是潇湘子的稿子。』宝琴笑道：『现是我做的呢。』宝玉笑道：『我不信。这声调口气，迥乎不像。』宝琴笑道：『所以你不通，难道杜工部首首都作「丛菊两开他日泪」之句不成！一般的也有「红绽雨肥梅」「水荇牵风翠带长」等语。』宝玉笑道：『固然如此，但我知道姐姐断不许妹妹有此伤悼语句，妹妹本有此才，却也断不肯做的。（这是诗教理论。）比不得林妹妹曾经离丧，作此哀音。』众人听说，都笑了。（这一笑，便有排遣闲愁的作用了。）

已至稻香村中，将诗与李纨看了，自不必说，称赞不已。说起诗社，大家议定：明日乃三月初二日，就起社，便改『海棠社』为『桃花社』，黛玉为社主。明日饭后，齐集潇湘馆。因又大家拟题。黛玉便说：『大家就要「桃花诗」一百韵。』宝钗道：『使不得。古来「桃花诗」最多，纵作了，必落套，比不得你这一首古风。须得再拟。』（有点题材——甚至诗题决定论。不是高明的诗论。但或与旧体诗的形式限制相关，多陈陈相因，缺少开拓创造的空间。）正说着，人回：『舅太太来了，请姑娘们出去请安。』因此大家都往前头来见王子腾的夫人，陪着说话。饭毕，又陪着入园中来游玩一遍，至晚饭后掌灯方去。

次日乃是探春的寿日，元春早打发了两个小太监，送了几件玩器。合家皆有寿礼，自不必细说。饭后，探春换了礼服，各处行礼。黛玉笑向众人道：『我这一社开的又不巧了，偏忘了这两日是他的生日。虽不摆酒唱戏，少不得都要陪他在老太太、太太跟前玩笑一日，如何能得闲空儿。』因此，改至初五。（还要抻抻拖拖，掺兑清水，把阅读的心弦彻底松下来。）

这日，众姊妹皆在房中侍早膳毕，便有贾政书信到了。宝玉请安，将请贾母的安禀拆开，念与贾母听，上面不过是请安的话，说六月准进京等语。其余家信事物之帖，自有贾琏和王夫人开读。众人听说六七月回京，都喜之不尽。偏生这日王子腾之女许与保宁侯之子为妻，择于五月间过门，凤姐儿又忙着张罗，常三五日不在家。这日，王子腾的夫人又来接凤姐儿，一并请众甥男甥女乐一日。贾母和王夫人命宝玉、探春、林黛玉、宝钗四人同凤姐去。众人不敢违拗，只得回房去，另妆饰了起来。五人去了一日，掌灯方回。（粗粗写一点与外面世界的关系。）

宝玉进入怡红院，歇了半刻，袭人便乘机见景劝他收一收心，闲时把书理一理，预备着。宝玉屈指算一算，说：『还早呢。』袭人道：『书还是第二件，到那时纵然你有了书，你的字写的在那里呢？』宝玉笑道：『我时常也有写了的好些，难道都没收着？』袭人道：『何曾没收着？你昨儿不在家，我就拿出来，统共数了一数，才有五百六十几篇。这三四年的工夫，难道只有这几张字不成！依我说，明日起，把别的心先都收了起来，天天快临几张字补上。虽不能按日都有，也要大概看得过去。』宝玉听了，忙着自己又亲检了一遍，实在搪塞不过，便说：『明日为始，一天写一百字才好。』说话时，大家睡下。

至次日起来，梳洗了，便在窗下恭楷临帖。贾母因不见他，只当病了，忙使人来问。宝玉方去请安，便说：『写字之故，因此出来迟了。』贾母听说，十分欢喜，就吩咐他：『以后只管写字念书，不用出来也使得。你去回你太太知道。』宝玉听说，便往王夫人房中来说明。王夫人便道：『「临阵磨枪」，也不中用。有这会子着急，天天写写念念，有多少完不了的。这一赶，又赶出病来才罢。』（平时怠惰，无人催促，临阵磨枪，又恐累着。娇惯的结果，只能怠惰下去。）宝玉回说：『不妨事。』宝钗探春等都笑说：『太太不用着急。书虽替不得他，字却替得的，我们每日每人临一篇给他，搪塞过这一步儿去就完了。（帮助作弊。）一则老爷不生气，二则他也急不出病来。』王夫人听说，喜之不尽。

原来黛玉闻得贾政回家，必问宝玉的功课，宝玉一向分心，到临期自然要吃亏。因自己只装不耐烦，把诗社更不提起。（诗社又不提了。）探春宝钗二人，每日也临一篇楷书字与宝玉。宝玉自己每日也加功，或写二百三百不拘。至三月下旬，便将字又积了许多。这日正算着再得五十篇，也就搪得过了。谁知紫鹃走来，送了一卷东西，宝玉拆开看时，却是一色去油纸上临的钟王蝇头小楷，字迹且与自己十分相类。（宝二爷的作业，众姐妹『支援』。宝二爷的学习，另类风光。）喜的宝玉和紫鹃作了一个揖，又亲自来道谢。接着湘云宝琴二人也都临了几篇相送。凑成虽不足功课，亦可搪塞了。宝玉放了心，于是将应读之书，又温理过几次。正是天天用功，可巧近海一带海啸，又遭塌了几处生民。地方官题本奏闻，奉旨就着贾政顺路查看赈济回来。如此算去，至七月底方回。宝玉听了，便把书字又丢过一边，仍是照旧游荡。（这一段贾政回家前宝玉『磨枪』一事，为七十三回类似情节作铺垫。）

时值暮春之际，湘云无聊，因见柳花飘舞，便偶成一小令，调寄《如梦令》。其词曰：

岂是绣绒才吐，卷起半帘香雾。纤手自拈来，空使鹃啼燕妒。且住，且住！莫使春光别去。（并无创意。）

自己做了，心中得意，便用一条纸儿写好，给宝钗看了，又来找黛玉。黛玉看毕，笑道：『好新鲜，有趣儿，我却不能。』湘云说道：『咱们这几社总没有填词，你明日何不起社填词，岂不新鲜些。』（诗闹了几阵子了，便再敷衍词。）

黛玉听了，偶然兴动，便说：『这话也倒是。』湘云道：『咱们趁今日天气好，为什么不就是今日？』（『为什么不就是今日』，这倒可以成为名言、格言。）黛玉道：『也使得。』说着，一面吩咐预备了几色果点，一面就打发人分头去请。

这里二人便拟了『柳絮』为题，又限出几个调来，写了粘在壁上。众人来看时：『以柳絮为题，限各色小调。』又都看了湘云的，称赏了一回。宝玉笑道：『这词上我倒平常，少不得也要胡诌起来。』于是大家拈阄。宝钗炷了一支『梦甜香』，大家思索起来。一时，黛玉有了，写完。接着宝琴也忙写出来。宝钗笑道：『我已有了。瞧了你们的，再看我的。』探春笑道：『今儿这香怎么这样快！我才有了半首。』因又问宝玉：『你可有了？』宝玉虽做了些，自己嫌不好，又都抹了，要另做，回头看，香已尽了。（一贯落后。）李纨等笑道：『宝玉又输了。蕉丫头的呢？』探春听说，便写出来。众人看时，却只半首《南柯子》，写道是：

空挂纤纤缕，徒垂络络丝。也难绾系也难羁，一任东西南北各分离。（叹光阴，叹分离，本是人之常情、至情，但自古以来叹得太多太多了，往往写不出个性与新意来。）

李纨笑道：『这却也好，何不再续上？』宝玉见香没了，情愿认输，不肯勉强塞责，将笔搁下，来瞧这半首。见没完时，反倒动了兴，乃提笔续道：

落去君休惜，飞来我自知。莺愁蝶倦晚芳时，纵是明春再见——隔年期！（仍是触景伤情，悲叹人生，并预示分离。）

众人笑道：『正经你分内的又不能，这却偏有了。纵然好，也算不得。』说着，看黛玉的，是一阕《唐多令》：

粉堕百花洲，香残燕子楼。一团团逐队成球。漂泊亦如人命薄，空缱绻，说风流！ 草木也知愁，韶华竟

白头。叹今生谁舍谁收？嫁与东风春不管，凭尔去，忍淹留。（一味愁下去，反不如先动人。）

众人看了，俱点头感叹说：『太作悲了！好是果然好的。』因又看宝琴的《西江月》：（《西江月》词牌，易写悲壮语。）

汉苑零星有限，隋堤点缀无穷。三春事业付东风，明月梅花一梦。 几处落红庭院，谁家香雪帘栊？江南江北一般同，偏是离人恨重。

众人都笑说：『到底是他的声调悲壮。「几处」「谁家」两句最妙。』宝钗笑道：『总不免过于丧败。我想，柳絮原是一件轻薄无根的东西，依我的主意，偏要把他说好了，才不落套。（偏要说好，当非好办法，为翻案而翻案，又有什么意思呢？）所以我诌了一首来，未必合你们的意思。』众人笑道：『不要太谦，自然是好的，我们赏鉴赏鉴。』因看这一阕《临江仙》道：

白玉堂前春解舞，东风卷得均匀。

湘云先笑道：『好一个「东风卷得均匀」！这一句就出人之上了。』

蜂团蝶阵乱纷纷。几曾随逝水，岂必委芳尘？ 万缕千丝终不改，任他随聚随分。韶华休笑本无根，好风凭借力，送我上青云！（如果说这是宝钗言志，她可又说了『柳絮原是一件轻薄无根的东西』。）

众人拍案叫绝，都说：『果然翻得好！自然这首为尊。（这倒是。柳絮词唯此首给人留下印象。）缠绵悲戚，让潇湘子；情致妩媚，却是枕霞；小薛与蕉客，今日落第，要受罚的。』宝琴笑道：『我们自然受罚，但不知交白卷子的，

又怎么罚？』李纨道：『不用忙，这定要重重的罚他，下次为例。』（就我个人而言，宁愿意看放风筝、吃螃蟹的描写。曹亦甚通诗词之道，但拿出来的货色并不精彩。）

一语未了，只听窗外竹子上一声响，恰似窗屉子倒了一般，众人吓了一跳。丫鬟们出去瞧时，帘外丫头子们回道：『一个大蝴蝶风筝，挂在竹梢上了。』（柳絮、蝴蝶风筝……便觉春意盎然。）众丫鬟笑道：『好一个齐整风筝！不知是谁家放的，断了线。咱们拿下他来。』宝玉等听了，也都出来看时，宝玉笑道：『我认得这风筝，这是大老爷那院里嫣红姑娘放的。拿下来给他送过去罢。』紫鹃笑道：『难道天下没有一样的风筝，单他有这个不成？二爷也太死心眼儿了。我不管，我且拿起来。』探春笑道：『紫鹃也太小器了，你们一般有，这会子拾人走了的，也不嫌个忌讳？』黛玉笑道：『可是呢。把咱们的拿出来，咱们也放放晦气。』（这样天真快乐。上天不容。）

丫头们听见放风筝，巴不得一声儿，七手八脚，都忙着拿出来，也有美人儿的，也有沙雁儿的。丫头们搬高墩，捆剪子股儿，一面拨起籰子来。（曹雪芹精通风筝。又是春光依旧。）宝钗等立在院门前，命丫头们在院外敞地下放去。宝琴笑道：『你这个不好看，不如三姐姐的一个软翅子大凤凰好。』宝钗回头向翠墨笑道：『你去把你们的拿来也放放。』宝玉又兴头起来，也打发个小丫头子家去，说：『把昨日赖大娘送的那个大鱼取来。』小丫头去了半天，空手回来，笑道：『晴雯姑娘昨儿放走了。』宝玉道：『我还没放一遭儿呢。』探春笑道：『横竖是给你放晦气罢了。』宝玉道：『再把大螃蟹拿来罢。』丫头去了，同了几个人，扛了一个美人并籰子来，回说：『袭姑娘说：昨儿把螃蟹给了三爷了，这一个是林大娘才送来的，放这一个罢。』宝玉细看了一回，只见这美人做的十分精细，

心中欢喜，便叫：『放起来！』（如春日行乐图。在当时条件下，各种乐也享受尽了。何悲惨之有？还愁些什么？）

此时探春的也取了来了，丫头们在那山坡上已放起来。宝琴叫丫头放起一个大蝙蝠来，宝钗也放起个一连七个大雁来，独有宝玉的美人儿，再放不起来。（有美人却放不起来，也是讽喻吗？）宝玉说丫头们不会放，自己放了半天，只起房高，便落下来了，急得宝玉头上的汗都出来了。众人又笑，宝玉恨得掷在地下，指着风筝说道：『要不是个美人，我一顿脚跺个稀烂！』黛玉笑道：『那是顶线不好，拿去叫人换好了，就好放了。再取一个来放罢。』

宝玉等大家都仰面看天上，这几个风筝起在空中。一时风紧，众丫头都用手帕垫手。黛玉果见风力紧大，过去将籰子一松，只听得一阵『豁喇喇』响，登时线尽，风筝随风去了。（风筝随风而去，可喜？可恋？可怜？多少畅快，多少凄凄。）黛玉因让众人来放，众人都说：『林姑娘的病根儿都放了去了，咱们大家都放了罢。』（干脆放手，不亦乐乎？无踪可觅，不亦悲乎！）于是丫头们拿过一把剪子来，铰断了线，那风筝都飘飘飖飖的随风而去。一时只有鸡蛋大，一展眼只剩下一点黑星儿，一会儿就不见了。（所去茫茫，引人遐想。）众人仰面说道：『有趣，有趣！』说着，有丫头来请吃饭，大家方散。

二尤事的强烈浓聚后，此回淡淡的。做功课，却也不忙。桃花诗，并无后文。柳絮词，写好写坏，无关大体，带有文字游戏性质。放风筝，最后飞去。又是大战之前的平静了。二尤故事后，诸雅女们的生活单调得令人打哈欠。

从此宝玉的工课也不敢像先竟撂在脖子后头了。有时写写字，有时念念书，闷了也出来合姐妹们玩笑半天，或往潇湘馆去闲话一回。众姐妹都知他工课亏欠，大家自去吟诗取乐，或讲习针黹之事，也不肯去招他。便是黛

玉更怕贾政回来宝玉受气，每每推睡，不大兜揽他。宝玉也只得在自己屋里，随便用些工课。

展眼已是夏末秋初。一日，贾母处两个小丫头，匆匆忙忙来叫宝玉。不知何事，下回分解。

一面是卑鄙的激烈，一面是寂寞的高雅。与熙凤、兴儿、秋桐的口头散文相比，众女儿的诗词可以休矣。

第七十一回 嫌隙人有心生嫌隙 鸳鸯女无意遇鸳鸯

邢夫人整凤姐，是重要关节。读了这回，才能理解抄检大观园的突变。这一回又带有过渡性，向着『天下大乱』过渡。

话说贾母处两个丫头，匆匆忙忙来找宝玉，口里说道：『二爷快跟着我们走罢，老爷家来了。』宝玉听了，又喜又愁，（宝玉极不喜其父，不知算不算俄狄浦斯的弑父情结。）只得忙忙换了衣服，前来请安。贾政正在贾母房中，连衣服未换，看见宝玉进来请安，心中自是欢喜，却又有些伤感之意。又叙了些任上的事情，贾母便说：『你也乏了，歇歇去罢。』贾政忙站起来，笑着答应了个『是』，又略站着说了几句话，才退出来。宝玉等也都跟过来。贾政自然问问他的工课，也就散了。

原来贾政回京复命，因是学差，故不敢先到家中。珍、琏、宝玉头一天便迎出一站去，接见了，贾政先请了贾母的安，便命都回家伺候。次日面圣，诸事完毕，才回家来。又蒙恩赐假一月，在家歇息。因年景渐老，事重身衰，又近因在外几年，骨肉离异，今得宴然复聚，自觉喜幸不尽，一应大小事务，一概亦付之度外，只是看书，闷了便与清客们下棋吃酒，或日间在里边，母子夫妻，共叙天伦之乐。（贾政也是吃凉不管酸，对于家中诸事，一无作用，一筹莫展，废物一个，终于一败涂地。）

因今岁八月初三日乃贾母八旬大庆，（大庆！）又因亲友全来，恐筵宴排设不开，便早同贾赦及贾琏等商议，议定于七月二十八日起，至八月初五日止，宁荣两处，齐开筵宴。宁国府中单请官客，荣国府中单请堂客。大观园中，收拾出缀锦阁并嘉荫堂等几处大地方来，做退居。二十八日请皇亲、驸马、王公、诸王、郡主、王妃、公主、国君、太君、夫人等，二十九日便是阁府督镇及诰命等，三十日便是诸官长及诰命并远近亲友及堂客。初一日是贾赦的家宴，初二日是贾政，初三日是贾珍贾琏，初四日是贾府中合族长幼大小共凑家宴，初五日是赖大林之孝等家下管事人等共凑一日。

自七月上旬，送寿礼者便络绎不绝。礼部奉旨：钦赐金玉如意一柄，彩缎四端，金玉杯各四件，帑银五百两。元春又命太监送出金寿星一尊，沉香拐一支，伽楠珠一串，福寿香一盒，金锭一对，银锭四对，彩缎十二匹，玉杯四只。余者自亲王驸马以及大小文武官员家，凡所来往者，莫不有礼，不能胜记。（礼单开来开去，怎不令人絮烦！富贵何等累人！）堂屋内设下大桌案，铺了红毡，将凡有精细之物都摆上，请贾母过目。先一二日，还高兴过来瞧瞧，后来烦了，（果然烦了。）也不过目，只说：『叫凤丫头收了，改日闲了再瞧。』

至二十八日，两府中俱悬灯结彩，屏开鸾凤，褥设芙蓉，笙箫鼓乐之音，通衢越巷。宁府中，本日只有北静王、南安郡王、永昌驸马、乐善郡王并几位世交公侯荫袭；荣府中，南安王太妃、北静王妃并世交公侯诰命。贾母等皆是按品大妆迎接。大家厮见，先请至大观园内嘉荫堂，茶毕更衣，方出至荣庆堂上拜寿入席。大家谦逊半日，方才入座。上面两席是南北王妃，下面依序，便是众公侯命妇。左边下手一席，陪客是锦乡侯诰命与临昌伯诰命；右边下手是贾母主位。邢夫人王夫人带领尤氏凤姐并族中几个媳妇，两溜雁翅，站在贾母身后侍立。林之孝赖大家的带领众媳妇，都在竹帘外面，伺候上菜上酒；周瑞家的带领几个丫鬟，在围屏后伺候呼唤。凡跟来的人，早又有人款待，别处去了。（一个家也如一个人物，走下坡路之日，灭亡之前且折腾呢。）

一时参了场，台下一色十二个未留发的小丫头，都是小厮打扮，垂手伺候。（未留发的小丫头，都是小厮打扮，以此来欣赏取乐。看来性改变乃至性错乱也是吸引眼球的。至少作为表演，男演女，女演男，女净，男旦或者女歌星出声低浑如男子……都易出效果。）须臾，一个捧了戏单至阶下，先递与回事的媳妇；这媳妇接了，才递与林之孝家的，林之孝家的用小茶盘托上，挨身入帘来，递与尤氏的侍妾佩凤；佩凤接了，才奉与尤氏；尤氏托着，走至上席，南安太妃谦让了一回，点了一出吉庆戏文，然后又让北静王妃，也点了一出；众人又让了一回，命随便拣好的唱罢。

少时，菜已四献，汤始一道，跟来各家的放了赏，大家便更衣复入园来，另献好茶。南安太妃因问宝玉，贾母笑道：『今日几处庙里念「保安延寿经」，他跪经去了。』又问众小姐们，贾母笑道：『他们姊妹们病的病，弱的弱，见人腼腆，所以叫他们给我看屋子去了。有的是小戏子，传了一班在那边厅上陪着他姨娘家姊妹们也看戏呢。』南安太妃笑道：『既这样，叫人请来。』贾母回头命了凤姐儿：『去把史、薛、林四位姑娘带来。再只叫你三妹妹陪着来罢。』（贾母对女孩子们也是心中有数的。）凤姐答应了，来至贾母这边，只见他姊妹们正吃果子看戏，

宝玉也才从庙里跪经回来。凤姐说了，宝钗姊妹与黛玉湘云五人来至园中，见了大众，俱请安问好。内中也有见过的，还有一两家不曾见过的，都齐声夸赞不绝。其中湘云最熟，南安太妃因笑道：『你在这里，听见我来了还不出来，还等请去。我明儿和你叔叔算账。』因一手拉着探春，一手拉着宝钗，问：『十几岁了？』又连声夸赞，因又松了他两个，又拉着黛玉宝琴，也着实细看，极夸一回，又笑道：『都是好的！不知叫我夸那一个的是。』早有人将备用礼物打点出几分来：金玉戒指各五个，腕香珠五串。南安太妃笑道：『你姊妹们别笑话，留着赏丫头们罢。』五人忙拜谢过。北静王妃也有五样礼物。（南安太妃，北静王妃，何等荣耀体面。）余者不必细说。

吃了茶，园中略逛了一逛，贾母等因又让入席。南安太妃便告辞，说：『身上不快，今日若不来，实在使不得。因此，恕我竟先要告别了。』贾母等听说，也不便强留，大家又让了一回，送至园门，坐轿而去。接着北静王妃略坐了一坐，也就告辞了。余者也有终席的，也有不终席的。贾母劳乏了一日，次日便不见人，一应都是邢夫人款待。有那些世家子弟拜寿的，只到厅上行礼，贾赦、贾政、贾珍还礼，看待至宁府坐席，不在话下。（有规模，有讲究，有程序。只是缺了精神，缺了趣味。还不如前几次小庆能给人以深刻印象呢。）

这几日，尤氏晚间也不回那府去，白日间待客，晚间陪贾母玩笑，又帮着凤姐料理出入大小器皿，以及收放礼物。晚间在园内李氏房中歇宿。这日晚间伏侍过贾母晚饭后，贾母因说：『你们乏了，我也乏了，早些寻一点子吃的，歇歇去罢。明儿还要起早呢。』尤氏答应着，退了出去，到凤姐儿房里来吃饭。凤姐儿在楼上看着人收送来的围屏呢，只有平儿在房里，与凤姐叠衣服。尤氏想起二姐儿在时，多承平儿照应，便点着头儿，说道：『好丫头！

你这样好心儿，难为你在这里熬。』平儿把眼圈一红，拿别话岔过去。（红眼圈何意？想起尤二姐来了么？尤二姐的鬼魂，不可能一时间散去。）尤氏因笑问道：『你们奶奶吃了饭了没有？』平儿笑道：『吃饭岂不请奶奶去的。』尤氏笑道：『既这样，我别处找吃的去罢，饿的我受不得了。』说着，就走。平儿忙笑道：『奶奶请回来，这里有点心，且点补些儿，回来再吃饭。』尤氏笑道：『你们忙得这样，我园里和他姊妹闹去。』一面说，一面就走。平儿留不住，只得罢了。（有点意兴阑珊的样子。）

且说尤氏一径来至园中，只见园中正门与各处角门仍未关好，犹吊着各色彩灯，因回头命小丫头叫该班的女人。那丫鬟走入班房中，竟没一个人影，回来回了尤氏。尤氏便命传管家的女人。这丫头应了便出去，到二门外鹿顶内，乃是管事的女人议事取齐之所。到了这里，只有两个婆子分果菜吃。因问：『那一位管事的奶奶在这里？东府里的奶奶立等一位奶奶，有话吩咐。』这两个婆子只顾分菜果，又听见是东府里的奶奶，不大在心上，因就回说：『管家奶奶们才散了。』小丫头道：『既散了，你们家里传他去。』婆子道：『我们只管看屋子，不管传人，姑娘要传人，再派传人的去。』（一副懈怠松弛景象。是否与前凤姐大闹宁国府，闹得尤氏没了行市有关？）小丫头听了道：『嗳哟，这可反了！怎么你们不传去？你哄新来的，怎么哄起我来了！素日你们不传，谁传去？这会子打听了体己信儿，或是赏了那位管家奶奶的东西，你们争着狗颠屁股儿的传去了，不知谁是谁呢。琏二奶奶要传，你们也敢这么回？』（都不是省油的。既然是奴才，是为主子当差，就不会有什么真正的责任心。）这婆子，一则吃了酒，二则被这丫头揭着弊病，便羞恼成怒了，因回口道：『扯你的臊！我们的事传不传，不与你相干。你未从揭挑我们，你想想你那老子娘，在那边管家爷们跟前，

比我们还更会溜呢。各门各户的，你有本事排揎你们那边的人去。我们这边，你离着还远些呢！』丫头听了，气白了脸，因说道：『好，好，这话说得好！』一面转身进来回话。

尤氏已早进园来。因遇见了袭人、宝琴、湘云三人，同着地藏庵的两个姑子，正说故事玩笑，尤氏因说：『饿了。』先到怡红院，袭人装了几样荤素点心出来，与尤氏吃。那小丫头子一径找了来，气狠狠的把方才的话都说了出来。尤氏听了，冷笑道：『这是两个什么人？』（尤氏本应隐而不发，徐图于后。）两个姑子笑推这丫头道：『你这姑娘好气性大！那糊涂老妈妈们的话，你也不该来回才是。咱们奶奶万金之体，劳乏了几日，黄汤辣水没吃，咱们只有哄他欢喜的，说这些话做什么？』袭人也忙笑拉他出去，说：『好妹子！你且出去歇歇，我打发人叫他们去。』尤氏道：『你不要叫人，你去就叫这两个婆子来，到那边把他们家的凤姐叫来。』（尤氏这话已对凤不甚友好。等后面，她又一推六二五了。）袭人笑道：『我请去。』尤氏笑道：『偏不要你。』两个姑子忙立起身来笑说：『奶奶素日宽洪大量，今日老祖宗千秋，奶奶生气，岂不惹人议论。』宝琴湘云二人也都笑劝，尤氏道：『不为老太太的千秋，我一定不依！且放着就是了。』

（这段故事曲曲折折，小题大做，无事生非，可与玫瑰露、茯苓霜一回类比。）

说话之间，袭人早又遣了一个丫头去到园门外找人。（袭人本不是惹事者，为何这次卷了进去？也是积极太过了么？）可巧遇见周瑞家的，这小丫头子就把这话告诉他了。周瑞家的虽不管事，因他素日仗着王夫人的陪房，原有些体面，心性乖滑，专惯各处献勤讨好，所以各房主人都喜欢他。他今日听了这话，忙跑入怡红院，一面飞走，一面说：『可

了不得！气坏了奶奶了。偏我不在跟前！且打他们几个耳刮子，再等过了这几天算账。』（出来个积极分子。）

尤氏见了他，也便笑道：『周姐姐，你来，有个理你说说。这早晚园门还大开着，明灯蜡烛，出入的人又杂，倘有不防的事，如何使得？因此，叫该班的人吹灯关门。谁知一个人牙儿也没有。』周瑞家的道：『这还了得！前儿二奶奶还吩咐过的，今儿就没了人。过了这几日，必要打几个才好。』尤氏又说小丫头子的话，周瑞家的说：『奶奶不要生气。等过了事，我告诉管事的，打他个臭死，只问他们谁说「各门各户」的话。我已经叫他们吹灯关门呢。奶奶也别生气了。』正乱着，只见凤姐儿打发人来请吃饭。尤氏道：『我也不饿了，才吃了几个饽饽，请你奶奶自己吃罢。』（已很不快。）

一时，周瑞家的出去，便把方才之事回了凤姐，凤姐便命：『将那两个的名字记上，等过了这几日，捆了送到那府里，凭大奶奶开发，或是打，或是开恩，随他就完了，什么大事。』（干脆矛盾横移。）周瑞家的听了，巴不得一声，素日因与这几个人不睦，出来了便命一个小厮到林之孝家去传凤姐的话，立刻叫林之孝家的进来见大奶奶；一面又传人立刻捆起这两个婆子来，交到马圈里，派人看守。（凤姐本要过了这几日再处理，周瑞家的却立刻捆上。帮倒忙的积极分子。）

林之孝家的不知甚么事，忙坐车进来，先见凤姐。至二门上，传进话去，丫头们出来说：『奶奶才歇下了。大奶奶在园内，叫大娘见见大奶奶就是了。』林之孝家的只得进园来到稻香村，丫鬟们回进去。尤氏听了，反过不去，忙唤进他来，因笑向他道：『我不过为找人找不着，因问你，你既去了，也不是什么大事，谁又把你叫进来？倒要你白跑一趟。不大的事，已经撂过手了。』林之孝家的也笑回道：『二奶奶打发人传我，说奶奶有话吩咐。』

尤氏道：『大约周姐姐说的。你家去歇着罢，没有什么大事。』李纨又要说原故，尤氏反拦住了。（已经闹起来了。）

林之孝家的见如此，只得便回身出园去。可巧遇见赵姨娘，因笑说：『嗳哟哟，我的嫂子！这会子还不家去歇歇，跑什么？』林之孝家的便笑说：『何曾不家去！』如此这般进来了。赵姨娘便说：『这事也值一个屁！开恩呢，就不理论；心窄些儿，也不过打几下就完了。也值的叫你进来！你快歇歇去，我也不留你吃茶了。』（各种矛盾，本来是连环扣。一件小事，都乘机矛盾起来了，牵一发而动全身。）

一件小事，冲了大庆气氛。不祥之兆。

说毕，林之孝家的出来，到了侧门前，就有才两个婆子的女儿上来哭着求情。林之孝家的笑道：『你这孩子好糊涂！谁叫他好喝酒混说话？惹出事来，连我也不知道。二奶奶打发人捆他，连我还有不是呢，我替谁讨情去？』（因乱动而致动乱。雷厉风行与阳奉阴违，同样可以造成布朗运动。）这两个小丫头子才七、八岁，原不识事，只管啼哭求告。缠的林之孝家的没法，因说道：『糊涂东西！你放着门路不去求，却缠我来。你姐姐现给了那边太太作陪房费大娘的儿子，你过去告诉你姐姐，叫亲家娘和太太一说，什么完不了的？』（林之孝家的这一指导，实在是稳、准、狠了。但又似并非有意为之，只是因小丫头子磨得不行。）一语提醒了这一个，那一个还求。林之孝家的啐道：『糊涂攮的！他过去一说，自然都完了。没有单放他妈，又打你妈的礼。』说毕上车去了。

这一个小丫头子，果然过来告诉了他姐姐，和费婆子说了。这费婆子原是个大不安静的，（又一个不安定因素。）

便隔墙大骂一阵，便走了来求邢夫人，说他亲家『与大奶奶的小丫头白斗了两句话，周瑞家的挑唆了二奶奶，现捆在马圈里，等过两日还要打呢。求太太和二奶奶说声，饶他一次罢』。邢夫人自为要鸳鸯讨了没意思，贾母冷淡了他；且前日南安太妃来，贾母又单令探春出来，自己心内早已怨忿；又有在侧一干小人，心内嫉妒，挟怨凤姐，便调唆得邢夫人着实憎恶凤姐。如今又听了如此一篇话，也不说长短。

至次日一早，见过贾母，众族人到齐，开戏。贾母高兴，又今日都是自己族中子侄辈，只便妆出来堂上受礼。当中独设一榻，引枕、靠背、脚踏俱全，自己歪在榻上。（歪在榻上，舒服不如摞倒子，封建传统，众人肃立或危坐，顶尖人物则歪在榻上，显示高人一等，舒服一等。可参考拙著《青狐》中对于白有光喜欢半躺着听汇报的描写。）榻之前后左右，皆是一色的矮凳。宝钗、宝琴、黛玉、湘云、迎春、探春、惜春姊妹等围绕。因贾璜之母也带了女儿喜鸾，贾琼之母也带了女儿四姐儿，还有几房的孙女儿，大小共有二十来个，贾母独见喜鸾四姐儿生得又好，说话行事与众不同，心中欢喜，便叫他两个也坐在榻前。宝玉却在榻上，与贾母捶腿。首席便是薛姨妈，下边两溜顺着房头辈数下去。帘外两廊，都是族中男客，也依次而坐。先是那女客一起一起行礼，后是男客行礼。贾母歪在榻上，只命人说：『免了罢。』然后赖大等带领众家人，从仪门直跪至大厅上磕头。礼毕，又是众家下媳妇。然后各房丫头。足闹了两三顿饭时。然后又抬了许多雀笼来，在那当院中放了生。贾赦等焚过天地寿星纸，方开戏饮酒。直到歇了中台，贾母方进来歇息，命他们取便，因命凤姐留下喜鸾四姐儿玩两日再去。凤姐儿出来，便和他母亲说。他两个母亲素日承凤姐的照顾，也都愿意在园内玩笑，至晚便不回去了。

邢夫人直至晚间散时，当着众人，陪笑和凤姐求情说：（恶人陪笑，比狰狞面目还要狰狞。）『我昨日晚上听见二奶奶生气，打发周管家的娘子捆了两个老婆子，可也不知犯了什么罪，论理，我不该讨情。我想老太太好日子，发狠的还要舍钱舍米，周贫济老，咱们先倒折磨起老人家来了。便不看我的脸，权且看老太太，暂且竟放了他们罢。』（每句话都衬托凤姐的霸道。）说毕，上车去了。（说毕上车，最是整人的法子，连讨论也不讨论。）

其实此事很难怨凤。邢夫人早等着整她，尤氏也不可能帮她。在『红』中是首次，凤姐如此窝囊憋气。尤二姐事件，凤的智、谋、泼、狠……都发挥到了极致。物极必反，从此凤走下坡路了。

凤姐听了这话，又当着众人，又羞又气，一时找寻不着头脑，逼得脸紫胀，回头向赖大家的等冷笑道：『这是那里的话？昨儿因为这里的人得罪了那府里的大嫂子，我怕大嫂子多心，所以尽让他发放，并不为得罪了我。（怕××多心，已经说明己方的多心了。）这又是谁的耳报神这么快。』王夫人因问：『为什么事？』凤姐儿笑将昨日的事说了。尤氏也笑道：『连我并不知道，你原也太多事了。』凤姐儿道：『我为你脸上过不去，所以等你开发，不过是个礼。就如我在你那里，有人得罪了我，你自然送了来尽我。凭他是什么好奴才，到底错不过这个礼去。这又不知谁过去，没的献勤儿，这也当作一件事情去说。』王夫人道：『你太太说得是。就是珍阿哥媳妇，也不是外人，也不用这些虚礼。老太太的千秋要紧，放了他们为是。』说着，回头便命人去放了那两个婆子。（王夫人要时刻摆出高高在上永远正确而又严格要求自己的人的架势。可厌。）

凤姐由不得越想越气越愧，不觉的一阵心灰，落下泪来。因赌气回房哭泣，又不使人知觉；偏是贾母打发了

琥珀来叫，立等说话。琥珀见了，诧异道：『好好的，这是什么原故？那里立等你呢。』凤姐听了，忙擦干了泪，洗面另施了脂粉，方同琥珀过来。贾母因问道：『前儿这些人家送礼来的，共有几家有围屏？』凤姐儿道：『共有十六家。有十二架大的，四家小的炕屏。内中只有甄家一架大屏，十二扇大红缎子刻丝「满床笏」，一面泥金「百寿图」是头等。还有粤海将军邬家一架玻璃的还罢了。』贾母道：『既这样，这两架别动，好生搁着，我要送人的。』凤姐儿答应了。

鸳鸯忽过来向凤姐脸上细瞧，引得贾母问：『你不认得他？只管瞧什么？』鸳鸯笑道：『我看他的眼肿肿的，所以我诧异。』贾母便叫近来，也细看看。凤姐笑道：『才觉得发痒，揉肿了些。』鸳鸯笑道：『别又是受了谁的气了罢？』凤姐笑道：『谁敢给我气受？便受了气，老太太好日子，我也不敢哭的。』（这就叫打掉了牙齿往肚里吞。）贾母道：『正是呢。我正要吃饭，你在这里打发我吃，剩下的，你和珍儿媳妇吃了。你两个在这里帮着两个师父替我拣佛豆儿，你们也积积寿。前儿你姊妹们和宝玉都拣了，如今也叫你们拣拣，别说我偏心。』

说话时，先摆上一桌素的来，两个姑子吃。然后摆上荤的，贾母吃毕，抬出外间。尤氏凤姐二人正吃着，贾母又叫把喜鸾四姐儿二人叫来，跟他二人吃毕，洗了手，点上香，捧上一升豆子来。两个姑子先念了佛偈，然后一个一个的拣在一个笸箩内，明日煮熟了，令人在十字街结寿缘。贾母歪着，听两个姑子说些因果。（因果俱在『红』中，何劳姑子叙说？）鸳鸯早已听见琥珀说凤姐哭之一事，又和平儿前打听得原故，晚间人散时，便回说：『二奶奶还是哭的，那边大太太当着人给二奶奶没脸。』贾母因问：『为什么原故？』鸳鸯便将原故说了。贾母道：『这才是凤丫头知礼处。难道为我的生日，由着奴才们把一族中的主子都得罪了，也不管罢！这是大太太素日没好气，不敢发作，所以今儿拿着这个作法，明是当着众人给凤姐儿没脸罢了。』（幸有贾母知遇。但也说明，即使有老祖宗知遇，也仍然处处陷阱。一人之宠，万人之怨，最险。）正说着，只见宝琴来了，也就不说了。

贾母忽想起留下的喜姐儿四姐儿，叫人吩咐园中婆子们：『要和家里的姑娘一样照应，倘有人小看了他们，我听见可不饶！』婆子答应了，方要走时，鸳鸯道：『我说去罢，他们那里听他的话。』说着，便一径往园里来。先到稻香村中，李纨与尤氏都不在这里。问丫鬟们，都说：『在三姑娘那里呢。』鸳鸯回身，又来至晓翠堂，果见那园中人都在那里说笑，见他来了，都笑说：『你这会子又跑到这里做什么？』又让他坐。鸳鸯笑道：『不许我逛逛么？』于是把方才的话说了一遍。李纨忙起身听了，即刻就叫人把各处的头儿唤了一个来，令他们传与诸人知道，不在话下。

这里尤氏笑道：『老太太也太想的到。实在我们年轻力壮的人，捆上十个也赶不上。』（类似的话凤姐也说过，贾母确实有智商，同时她的「高位」也容易显示智商。例如刘老老也有智商，但不会受到这等称赞。）李纨道：『凤丫头仗着鬼聪明，还离脚踪儿不远，咱们是不能的了。』（跟不上。）鸳鸯道：『罢哟！还提「凤丫头」「虎丫头」呢。他的为人，也可怜见儿的。虽然这几年没有在老太太、太太跟前有个错缝儿，暗里也不知得罪了多少人。总而言之，为人是难做的：若太老实了，没有个机变，公婆又嫌太老实了，家里人也不怕；若有些机变，未免又「治一经损一经」。（鸳鸯的『为人难做论』极有概括力。）如今咱们家更好，新出来的这些底下字号的奶奶们，一个个心满意足，都不知道要怎样才好，少有不得意，不是背地里嚼舌根，就是挑三窝四的。（鸳鸯论做人之难，管事之难。）我怕老太太生气，一点儿也不肯说；不然，我告诉出来，大家别过太平日子。这不是我当着三姑娘说：老太太偏疼宝玉，有人背地怨言还罢了，算是偏心；如今老太太偏疼你，我听着也是不好。这可笑不可笑？」（虽说是代老太太立言，体贴开脱凤姐的，却也预言了凤姐的必然败灭。）探春笑道：「糊涂人多，那里较量得许多？我说，倒不如小人家，虽然寒素些，倒是天天娘儿们欢天喜地，大家快乐。（小人家有小人家的难处，探春不知罢了。）我们这样人家，人都看着我们不知千金万金，何等快乐，殊不知这里说不出来的烦难，更利害。」（大家关系问题更难处，当然。谁难受，谁知道。）

宝玉道：「谁都像三妹妹好多心多事。我常劝你，总别听那些俗语，想那些俗事，只管安富尊荣才是。比不得我们，没这清福，应该混闹的。」尤氏道：「谁都像你是一心无挂碍，只知道和姊妹们玩笑，饿了吃，困了睡，再过几年，不过是这样，一点后事也不虑。」宝玉笑道：「我能够和姊妹们过一日，是一日，死了就完了，什么后事不后事。」（说着轻松罢了。）李纨等都笑道：「这可又是胡说了。就算你是个没出息的，终老在这里，难道他姊妹们都不出门的？」尤氏笑道：「怨不得人都说他是假长了一个胎子，究竟是个又傻又呆的。」宝玉笑道：「人事莫定，谁死谁活。倘或我在今日明日、今年明年死了，也算是随心一辈子了。」（贾宝玉的『及时生死论』，似乎还不那么简单表面。）众人不等说完，便说：「可是又疯了，别和他说话才好。若和他说话，不是呆话，就是疯话。」喜鸾因笑道：「二哥哥，你别这样说，等这里姐姐们果然都出了门，横竖老太太、太太也寂寞，我来和你作伴儿。」李纨尤氏等都笑道：「姑娘也别说呆话，难道你是不出门的，这话哄谁？」说得喜鸾也低了头。（指不上眼珠子，难道能指得上眼眶子？）当下已起更时分，大家各自归房安歇，不提。

宝玉不分场合事件，老讲这些话。未免太『世界观』化了，形而上化了。他似与任何实际生活无关，吃饱了玩够了渲染发作自己的虚无主义的『世界观』。

且说鸳鸯一径回来，刚至园门前，只见角门虚掩，犹未上闩。此时园内无人来往，只有该班的房内灯光掩映，微月半天。鸳鸯又不曾有伴，也不曾提灯，独自一个，脚步又轻，所以该班的人皆不理会。偏要小解，因下了甬路，找微草处走动，行至一块湘山石后大桂树底下来。刚转至石后，只听一阵衣衫响，吓了一惊不小。定睛一看，只见是两个人在那里，见他来了，便想往树丛石后藏躲。鸳鸯眼尖，趁着半明的月色，早看见一个穿红裙子梳头、高大丰壮身材的，是迎春房里司棋。鸳鸯只当他和别的女孩子也在此方便，见自己来了，故意藏躲，吓着玩耍，因便笑叫道：「司棋，你不快出来，吓着我，我就喊起来，当贼拿了。这么大丫头，也没个黑家白日只是玩不够。」（只要都是活人，天下就不会如意太平。）

这本是鸳鸯戏语，叫他出来。谁知他贼人胆虚，只当鸳鸯已看见他的首尾了，生恐叫喊出来使众人知觉，更不好；且素日鸳鸯又和自己亲厚，不比别人，便从树后跑出来，一把拉住鸳鸯，便双膝跪下，只说：「好姐姐，千万别嚷！」鸳鸯反不知他为什么，忙拉他起来，问道：「这是怎么说？」司棋只不言语，拿手帕拭泪。（司棋的命运渐露端倪。并非重要人物，但有一个闹厨房，有此事，再加后面的抄检被逐，也就印象深刻，再难忘怀了。）鸳鸯越发不解，再瞧了一瞧，又有一个人影儿，恍惚像个小厮，心下便猜着了八九分，自己反羞的心跳耳热，又怕起来。（『心跳耳热』

云云，性禁忌下的脆弱心态。越脆弱越易出事。）因定了一会，忙悄问：『那一个是谁？』司棋又跪下道：『是我姑舅兄弟。』

鸳鸯啐了一口，却羞的一句话也说不出来。司棋又回头悄叫道：『你不用藏着，姐姐已经看见了，快出来磕头。』那小厮听了，只得也从树后跑出来，磕头如捣蒜。鸳鸯忙要回身，司棋拉住苦求，哭道：『我们的性命，都在姐姐身上，只求姐姐超生我们罢！』鸳鸯道：『你不用多说了，快叫他去罢，横竖我不告诉人就是了。你这是怎么说呢！』

一语未了，只听角门上有人说道：『金姑娘已经出去了，角门上锁罢。』鸳鸯正被司棋拉住，不得脱身，听见如此说，便忙着接声道：『我在这里有事，且略等等儿我出来了。』司棋听了，只得松手，让他去了。要知端的，下回分解。

此事作者原意可能是进一步说明贾府的下人们的违法乱纪，已经处处疵漏，防不胜防。从某种意义上说，这是抄检大观园的铺垫与依据。从另一个角度看，关着这么多青春年少的丫头，岂能没有春色出墙入园？偶然，实是必然。各种合力，已使大观园乱了套了。

贾母八旬大寿，大庆之中显出了颓败，给人以强弩之末之感。下人无礼，山头互斗，凤姐吃憋，鸳鸯睹异，都是不祥之兆。大事渐渐不好。

任何人的所向无敌都不是绝对的。种豆得豆，王熙凤开始收获了。贾府的乱局越演越烈了。

第七十二回 王熙凤恃强羞说病 来旺妇倚势霸成亲

且说鸳鸯出了角门，脸上犹热，心内突突的乱跳，真是意外之事，因想：『这事非常，若说出来，奸盗相连，关系人命，还保不住带累旁人。横竖与自己无干，且藏在心内，不说与人知道。』（压抑与恐怖的重压下的青春。）回房复了贾母的命，大家安息不提。

且说司棋因从小儿和他姑表兄弟一处玩笑，起初时小儿戏言，便都订下将来不娶不嫁；近年大了，彼此又出落得品貌风流，常时司棋回家时，二人眉来眼去，旧情不断，只不能入手。又彼此生怕父母不从，二人便设法，彼此里外买嘱园内老婆子们，留门看道，今日趁乱，方从外进来。初次入港，虽未成双，却也海誓山盟，私传表记，已有无限风情。忽被鸳鸯惊散，那小厮早穿花度柳，从角门出去了。

司棋一夜不曾睡着，又后悔不来。至次日见了鸳鸯，自是脸上一红一白，百般过不去，心内怀着鬼胎，茶饭无心，起坐恍惚。挨了两日，竟不听见有动静，方略放下了心。这日晚间，忽有个婆子来悄悄告诉道：『你兄弟竟逃走了，三四天没上家，如今打发人四处找他呢。』（这一类事，女性的压力更大，女性更易抱一种孤注一掷的必死决心。而男性反不这样执着。）司棋听了，又急又气又伤心，因想道：『总然闹出来，也该死在一处。真真男人没情意，先就走了。』因此，又添了一层气，次日便觉心内不快，支持不住，一头躺倒，恹恹的成了病了。

鸳鸯闻知那边无故走了一个小厮，园内司棋病重，要往外挪，心下料定是二人惧罪之故，生怕我说出来。因此，自己反过意不去，指着来望候司棋，支出人去，反自己赌咒发誓，与司棋说：『我若告诉一个人，立刻现现报！你只管放心养病，别白遭塌了小命儿。』司棋一把拉住，哭道：『我的姐姐，咱们从小儿耳鬓厮磨，你不曾拿我当外人待，我也不敢怠慢了你。如今我虽一着走错，你若果然不告诉一个人，你就是我的亲娘一样。从此后，我活一日，是你给我一日。我的病要好了，把你立个长生牌位，我天天烧香磕头，保佑你一辈子福寿双全的。我若死了时，变驴变狗报答你。倘或咱们散了，以后遇见，我自有报答的去处。』（唉！一个人的生存，依靠另一人的宽容恩惠，太悲惨了。知恩必报，也是中国传统道德极感人的一个原因。司棋的语言极到位，煽情。）一面说，一面哭。这一夕话，反把鸳鸯说的心酸，也哭起来了。因点头道：『你也是自家要作死哟！我作什么管你这些事坏你的名儿，我白去献勤儿？况且这事我也不便开口向人说，你只放心。从此养好了，可要安分守己的，再别胡行乱闹了。』司棋在枕上点首不绝。

鸳鸯又安慰了他一番，方出来。因知贾琏不在家中，又因这两日凤姐儿声色怠惰了些，不似往日一样，便顺路来问候。刚进入凤姐院中，二门上的人见是他来，便站立待他进去。鸳鸯来至堂屋，只见平儿从里头出来，见了他来，便忙上来悄声笑道：『才吃了一口饭，歇了午觉了。你且这屋里略坐坐。』鸳鸯听了，只得同平儿到东边房里来。小丫头倒了茶来。鸳鸯悄问道：『你奶奶这两日是怎么了？我近来看着他懒懒的。』平儿见问，因房内无人，便叹道：『他这懒懒的，也不止今日了，这有一月之先，便是这样的。这几日忙乱了几天，又受了些闲气，从新又勾起来；这两日比先又添了些病，所以支不住，便露出马脚来了。』（注意疾病的心理原因。）鸳鸯道：『既这样，怎么不早请大夫治？』平儿叹道：『我的姐姐，你还不知道他那脾气的，别说请大夫来吃药，我看不过，白问一声「身上觉怎么样」，他就动了气，反说我咒他病了。（过于逞强，只能害己。用心太过，反不成功。）饶这样，天天还是察三访四。自己再不看破些且养身子。』鸳鸯道：『虽然如此，到底该请大夫来瞧瞧是什么病，也都好放心。』平儿叹道：『说起病来，据我看，也不是什么小症候。』鸳鸯忙道：『是什么病呢？』平儿见问，又往前凑了一凑，向耳边说道：『只从上月行了经之后，这一个月，竟沥沥淅淅的没有止住。这可是大病不是？』（写女人便要说一些女人的话儿，曹公不含糊。疾病如神祇，该来就来，自有威风。）鸳鸯听了忙答应道：『嗳哟！依这么说，可不成了「血山崩」了吗？』平儿忙啐了一口，又悄笑道：『你个女孩儿家，这是怎么说，你倒会咒人的！』鸳鸯见说，不禁红了脸，又悄笑道：『究竟我也不知什么是崩不崩的。你倒忘了不成，先我姐姐不是害这病死了。我也不知是什么病，因无心中听见妈和亲家妈说，我还纳闷，后来听见原故，才明白了一二分。』

二人正说着，只见小丫头向平儿道：『方才朱大娘又来了。我们回了他：「奶奶才歇午觉。」他往太太上头去了。』平儿听了点头。鸳鸯问：『那一个朱大娘？』平儿道：『就是官媒婆朱嫂子。因有个什么孙大人来和咱们求亲，所以他这两日天天弄个帖子来，闹得人怪烦的。』一语未了，小丫头跑来说：『二爷进来了。』说话之间，贾琏已走至堂屋门口，平儿忙迎出来。贾琏见平儿在东屋里，便也过这间房内来，走至门前，忽见鸳鸯坐在炕上，便煞住脚，笑道：『鸳鸯姐姐，今儿贵脚幸踏贱地。』鸳鸯只坐着，笑道：『来请爷奶奶的安，偏又不在家的不在家，睡觉的睡觉。』贾琏笑道：『姐姐一年到头辛苦，伏侍老太太，我还没看你去，那里还敢劳动来看我们。』（鸳鸯来自老太太那里，故而身份规格不同。也是所谓猫儿狗儿来自上辈人便不可怠慢之意。）又说：『巧得很。我才要找姐姐去，因为穿着这袍子热，先来换了夹袍子，再过去找姐姐去，不想老天爷可怜，省我走这一趟。』一面说，一面在椅子上坐下。鸳鸯因问：『又有什么说的？』贾琏未语先笑，道：『因有一件事竟忘了，只怕姐姐还记得。上年老太太生日，曾有一个外路和尚来孝敬一个腊油冻的佛手，因老太太爱，就即刻拿过来摆着了。因前日老太太生日，我看古董账，还有一笔在这账上，却不知此时这件着落在何处。古董房里的人也回过了我两次，等我问准了，好注上一笔。所以我问姐姐，如今还是老太太摆着呢，还是交到谁手里去了呢？」鸳鸯听说，便说道：「老太太摆了几日，厌烦了，就给你们奶奶了。你这会子又问我来了！我连日子还记得，还是我打发了老王家的送来。你忘了，或是问你们奶奶和平儿。」平儿正拿衣服，听见如此说，忙出来回说：「交过来了，现在楼上放着呢。奶奶已经打发人去说过，他们发昏没记上，又来叨蹬这些没要紧的事。」贾琏听说，笑道：「既然给了你奶奶，我怎么不知道，你们就昧下了。」平儿道：「奶奶告诉二爷，二爷还要送人，奶奶不肯，好容易留下的。这会子自己忘了，倒说我们昧下。那是什么好东西！比那强十倍的，也没昧下一遭儿，这会子就爱上那不值钱的咧！」（欧洲现代有『无边的现实主义』一说，而『红』的现实主义，应该叫做无孔不入的、无所不在的现实主义。）

贾琏垂头含笑，想了想，拍手道：「我如今竟糊涂了！丢三忘四，惹人抱怨，竟大不像先了。」（实似有猫儿腻，不便认真追下去罢了。）鸳鸯笑道：「也怨不得。事情又多，口舌又杂，你再喝上两钟酒，那里记得许多。」一面说，一面起身要走。贾琏忙也立起身来，说道：「好姐姐，略坐一坐儿，兄弟还有一事相求。」说着，便骂小丫头：「怎么不沏好茶来！快拿干净盖碗，把昨日进上的新茶沏一碗来。」说着，向鸳鸯道：「这两日，因老太太千秋，所有的几千两都使了。几处房租、地租，统在九月才得，这会子竟接不上。明儿又要送南安府里的礼，又要预备娘娘的重阳节，还有几家红白大礼，至少还得三二千两银子用，一时难去支借。俗语说的好：『求人不如求己。』说不得，姐姐担个不是，暂且把老太太查不着的金银家伙，偷着运出一箱子来，暂押千数两银子，支腾过去。（也许佛手是个引子，要谈的是银子的拆借。）不上半月的光景，银子来了，我就赎了交还，断不能叫姐姐落不是。」（甚至采取这种办法，而且是与鸳鸯联手。说明贾府亦深知这一家的财政困难。不知这是不是她日后殉主的一个原因。邢岫烟典当，受到宝钗的阻拦与救援。这里的大宗典押，谁来救援？）

鸳鸯听了，笑道：「你倒会变法儿！亏你怎么想了。」贾琏笑道：「不是我撒谎，若论除了姐姐，也还有人手里管得起千数两银子，只是他们为人，都不如你明白有胆量。我和他们一说，反吓住了他们。所以我『宁撞金钟一下，不打铙钹三千』。」一语未了，贾母那边小丫头子忙忙走来找鸳鸯，说：「老太太找姐姐。这半日，我那里没找到！却在这里。」鸳鸯听说，忙的去见贾母。

贾琏见他去了，只得回来瞧凤姐。谁知凤姐已醒了，听他和鸳鸯借当，自己不能答话，只躺在榻上。听见鸳鸯去了，贾琏进来，凤姐因问道：「他可应准了？」贾琏笑道：「虽未应准，却有几分成了。须得你再去和他说一说，就十分成了。」凤姐笑道：「我不管这些事。倘或说准了，这会子说着好听，到了有钱的时节，你就丢在脖子后头了，谁和你打饥荒去？倘或老太太知道了，倒把我这几年的脸面都丢了。」贾琏笑道：「好人，你若说定了，我谢你。」凤姐笑道：「你谢我什么呢？」贾琏笑道：「你说要什么就有什么。」

平儿一旁笑道：「奶奶倒不要别的。刚才正说要做一件什么事，恰少一二百银子使，不如借了来，奶奶拿这么一二百银子，岂不两全其美。」（平儿也参加到巧取豪夺的勾当里。）凤姐笑道：「幸亏提起我来。就是这样也罢了。」

贾琏笑道：『你们也太狠了！你们这会子别说一千两的当头，就是现银子，要三五千，只怕也难不倒。（夫妻也不断谈判交易试探，讨价还价。）我不和你们借就罢了，这会子烦你说一句话，还要个利钱，真真了不得。』凤姐听了，翻身起来说道：『我三千五千，不是赚得你的。如今里里外外上上下下，背着嚼说我的不少了，就短了你来说了，可知「没家亲引不出外鬼来」。我们看着你家什么石崇邓通？把我王家的缝子扫一扫，就够你们一辈子过的了。（王家厉害！这也是凤受宠而且自我感觉特别好的一个依据。）说出来的话也不害臊！现有对证：把太太和我的嫁妆细看看，比一比，我们那一样是配不上你们的。』贾琏笑道：『说句玩话儿就急了。这有什么这样的，你要使一二百两银子值什么，多的没有，这还能够。先拿进来，你使了，再说去，如何？』凤姐道：『我又不等着「衔口垫背」，忙什么呢。』贾琏道：『何苦来，不犯着这样肝火盛。』

凤姐听了，又笑起来，『不是我着急，你说的话戳人的心。我因为想着后日是尤二姐的周年，我们好了一场，虽不能别的，到底给他上个坟，烧张纸，也是姊妹一场。他虽没个儿女留下，也别要「前人洒土，迷了后人的眼」才是。』（假话说「真」了，竟比「真」还真，还动人。为何哪壶不开提哪壶？半晌想了些什么？）贾琏半晌方道：『难为你想得周全。』凤姐一语倒把贾琏说没了话，低头打算，说：『既是后日才用，若明日得了这个，你随便使多少就是了。』

一语未了，只见旺儿媳妇走进来。凤姐便问：『可成了没有？』旺儿媳妇道：『竟不中用。我说须得奶奶作主就成了。』贾琏便问：『又是什么事？』凤姐儿见问，便说道：『不是什么大事。旺儿有个小子，今年十七岁了，还没娶媳妇儿，因要求太太房里的彩霞，不知太太心里怎么样。前日太太见彩霞大了，二则又多病多灾的，因此开恩，打发他出去了，给他老子随便自己择女婿去罢。因此，旺儿媳妇来求我。我想他两家也就算门当户对了，一说去，自然成的。谁知他这会子来了，说不中用。』贾琏道：『这是什么大事，比彩霞好的多着呢。』旺儿家的便笑道：『爷虽如此说，连他家还看不起我们，别人越发看不起我们了。好容易相看准一个媳妇儿，我只说求爷奶奶的恩典，替作成了，奶奶又说他必是肯的。（大事小事，都要动用威权，强人所难。除了不会尊重人以外，精通一切压迫人、扭转人、降服人的手段。）我就烦了人过去试一试，谁知白讨了个没趣儿。若论那孩子，倒好，据我素日合意儿试他，心里没有什么说的，只是他老子娘两个老东西，太心高了些。』

一语戳动了凤姐和贾琏，凤姐因见贾琏在此，且不做一声，只看贾琏的光景。贾琏心中有事，那里把这点事放在心里？待要不管，只是看着凤姐儿的陪房，（主子与陪房也是一荣皆荣，一损皆损。）且素日出过力的，脸上实在过不去，因说：『什么大事？只管咕咕唧唧的。你放心且去，我明日作媒，打发两个有体面的人，一面说，一面带着定礼去，就说是我的主意。他十分不依，叫他来见我。』（大事小事都是仗势欺人，「官」大一级压死人。所谓『你要当家？「皇军」要当你的家』。）旺儿家的看着凤姐，凤姐便努嘴儿。旺儿家的会意，忙爬下就给贾琏磕头谢恩。这贾琏忙道：『你只管给你姑娘磕头。我虽如此说了这样行，到底也得你姑娘打发人叫他女人上来，和他好说更好些；不然，太霸道了，日后你们两亲家也难走动。』（就是太霸道了。）凤姐忙道：『连你还这样开恩操心呢，我反倒袖手旁观不成。旺儿家的，你听见了，这事说了，你也忙忙的给我完了事来，说给你男人，外头所有的账目，一概赶今年年底收了进来，少一个钱也不依。（一面「偷」老太太的东西去典押，一面放钱。实仍是损「公」肥私，中饱自己。）我的名声不好，再放一年，都要生吃了我呢。」

旺儿媳妇笑道：「奶奶也太胆小了。谁敢议论奶奶，若收了时，我也是一场痴心白使了。」凤姐道：「我真个还等钱做什么，不过为的是日用，出的多，进的少。这屋里有的没的，我和你姑爷一月的月钱，再连上四个丫头的月钱，通共一二十两银子，还不够三五天使用的呢。（贪污有理论。或谓高薪养廉？那么能不能说低薪诱贪呢？）若不是我千凑万挪的，早不知过到什么破窑里去了。如今倒落了一个放账的名儿。既这样，我就收了回来。我比谁不会花钱？咱们以后就坐着花，到多早晚，（凤有权，但不是最高人物，所以也将军斗气。）就是多早晚。这不是样儿：前儿老太太生日，太太急了两个月，想不出法儿来，还是我提了一句，后楼上现有些没要紧的大铜锡家伙，四五箱子，拿出去弄了三百银子，才把太太遮羞礼儿搪过去了。我是你们知道的，那一个金自鸣钟卖了五百六十两银子，没有半个月，大事小事没十件，白填在里头。（已这样拆东墙补西墙。）今儿外头也短住了，不知是谁的主意，搜寻上老太太了。明儿再过一年，便搜寻到头面衣服，可就好了！」旺儿媳妇笑道：「那一位太太奶奶的头面衣服折变了不够过一辈子的？只是不肯罢了。」凤姐道：「不是我说没能耐的话，要像这样，我竟不能了。（不知为何，经济危机总是与人事、政治危机相伴。）昨儿晚上，忽然做了一个梦，说来可笑，梦见一个人，虽然面善，却又不知名姓，找我说，娘娘打发他来，要一百匹锦。我问他是那一位娘娘，他说的又不是咱们的娘娘。我就不肯给他，他就来夺。正夺着，就醒了。」（梦中也在进行与宫廷的来往交易。此梦有预兆之意乎？）旺儿家的笑道：「这是奶奶日间操心，常应候宫里的事。」

一语未了，人回：「夏太监打发了一个小内家来说话。」贾琏听了，忙皱眉道：「又是什么话？一年他们也搬够了。」凤姐道：「你藏起来，等我见他，若是小事，罢了；若是大事，我自有回话。」贾琏便躲入内套间去。这里凤姐命人带进小太监来，让他椅上坐了吃茶，因问何事。那小太监便说：「夏爷爷因今儿偶见一所房子，如今竟短二百两银子，打发我来问舅奶奶家里，有现成的银子暂借一二百，过一两日就送来。」（巧取豪夺，是权贵——包括太监们的规律。）凤姐儿听了，笑道：「什么是送来？有的是银子，只管先兑了去。改日等我们短了，再借去也是一样。」（话说得爽快，心想的另样，做的更是艰难。）小太监道：「夏爷爷还说：上两回还有那一千二百两银子没送来，等今年年底下，自然一齐都送了过来。」凤姐笑道：「你夏爷爷好小气。这也值得放在心里？我说一句话，不怕他多心，若都这么记清了还我们，不知要还多少了。只怕我们没有，若有，只管拿去。」（做个姿态让夏太监量入为出地难受一下。）因叫旺儿媳妇来，「出去不管那里先支二百银来。」旺儿媳妇会意，因笑道：「我才因别处支不动，才来和奶奶支的。」凤姐道：「你们只会里头来要钱，叫你们外头弄去，就不能了。」说着，叫平儿：「把我那两个金项圈拿出去，暂且押四百两银子。」

平儿答应去了，果然拿了一个锦盒子来，里面两个锦袱包着，打开时，一个金累丝攒珠的，那珍珠都有莲子大小；一个点翠嵌宝石的，两个都与宫中之物不离上下。一时拿去，果然拿了四百两银子来。凤姐命与小太监打叠一半，那一半与了旺儿媳妇，命他拿去办八月中秋的节。那小太监便告辞了，凤姐命人替他拿着银子，送出大门去了。这里贾琏出来，笑道：「这一起外祟，何日是了！」凤姐笑道：「刚说着，就来了一股子。」贾琏道：「昨儿周太监来，张口一千两，我略慢应了些，他不自在。将来得罪人之处不少。这会子再发个三二百万的财就好了。』（可以想象他们的财政困难，种种计划外非程度支出，十分吓人。）一面说，一面平儿伏侍凤姐另洗了脸，更衣往贾母处伺候晚饭。

（『红』全书劝人『省些寿命筋力』『不去谋虚逐念』（第一回），自然是就全书而言，但尤其是针对凤姐的。作者通过凤姐的形象，劝诫世人留有余地，难得糊涂，戒骄戒躁，不可机关算尽，逞强到底。凤姐既是一个正面的形象也是一个反面的形象。其次是针对宝、黛的。察三访四的结果是一大混乱，一大糊涂。爱情追求的结果也是一场虚空。）

这里贾琏出来，刚至外书房，忽见林之孝走来。贾琏因问何事。林之孝说道：『方才听得雨村降了，却不知因何事。只怕未必真。』贾琏道：『真不真，他那官儿未必保的长。只怕将来有事，咱们宁可疏远着他好。』林之孝道：『何尝不是，只是一时难以疏远。如今东府大爷和他更好，老爷又喜欢他，时常来往，那个不知？』（林之孝与他家里，倒像个正统派。）贾琏道：『横竖不和他谋事，也不相干。你去再打听真了，是为什么。』

林之孝答应了，却不动身，坐在椅子上再说闲话，因又说起家道艰难，便趁势说：『人口太众了。不如拣个空日，回明老太太老爷，把这些出过力的老家人，用不着的，开恩放几家出去。一则他们各有营运，二则家里一年也省口粮月钱。再者，里头的姑娘也太多。俗语说，「一时比不得一时」，如今说不得先时的例了，少不得大家委屈些，该使八个使六个，使四个的使两个。若各房算起来，一年也可以省许多月米月钱。况且里头的女孩子们，一半都大了，也该配人的配人，成了房，岂不又滋生出人来。』（需要精简。）贾琏道：『我也这样想，只是老爷才回家来，多少大事未回，那里议到这个上头。前儿官媒拿了个庚帖子来求亲，太太还说老爷才来家，每日欢天喜地的说「骨肉完聚」，忽然提起这事，恐老爷又伤心，所以且不叫提起。』（照顾情绪高于一切。故许多应做的事不能做。）林之孝道：『这也是正理，太太想得周到。』贾琏道：『正是，提起这话，我想起一件事来：我们旺儿的小子，要说太太屋里的彩霞，他昨儿求我，我想，什么大事，不管谁去说一声去，就说我的话。』（『我的话』云云，压下来的势头。）

林之孝答应了，半晌，笑道：『依我说，二爷竟别管这件事。旺儿的那小子，虽然年轻，在外吃酒赌钱，无所不至。虽说都是奴才，到底是一辈子的事。彩霞这孩子，这几年我虽没见，听见说，越发出跳得好了，何苦来白遭塌一个人。』贾琏道：『他小儿子原会吃酒不成人么？这样，那里还给他老婆？且给他一顿棍，锁起来，再问他老子娘。』林之孝笑道：『何必在这一时。那是我错了，等他再生事，我们自然回爷处治，如今且恕他。』贾琏不语。一时林之孝出去。

晚间，凤姐已命人唤了彩霞之母来说媒。那彩霞之母，满心纵不愿意，见凤姐自和他说，何等体面，便心不由己的满口应了出去。凤姐又问贾琏：『可说了没有？』贾琏因说：『我原要说的，打听得他小儿子大不成人，故还不曾说。若果然不成人，且管教他两日，再给他老婆不迟。』凤姐笑道：『我们王家的人，连我还不中你们的意何况奴才呢！（山头主义，宗派主义。）我已经和他娘说了，他娘已经欢天喜地，难道又叫进他来，不要了不成？』贾琏道：『既你说了，又何必退？明日说给他老子，好生管他就是了。』（又是一件草菅人运。）这里说话，不提。

且说彩霞因前日出去等父母择人，心中虽与贾环有旧，尚未作准。今日又见旺儿每每来求亲，早闻得旺儿之子酗酒赌博，而且容颜丑陋，不能如意。自此，心中越发懊恼，惟恐旺儿仗势作成，终身不遂，未免心中急躁。

至晚间，悄命他妹子小霞进二门来找赵姨娘，问个端的。赵姨娘素日深与彩霞好，巴不得与了贾环，方有个膀臂，不承望王夫人又放了出去。（任何一件事都与许多阴差阳错、矛盾过节有关。）每每调唆贾环去讨，一则贾环羞口难开，二则贾环也不在意，不过是个丫头，他去了，将来自然还有，遂迁延住不说，意思便丢开了手。（赵姨娘本来吃不开，贾环本来吃不开，偏偏母子二人又不合作，还怎么斗与争？）无奈赵姨娘又不舍，又见他妹子来问，是晚得空，便先求了贾政。贾政说道：『且忙什么，等他们再念一二年书，再放人不迟。我已经看中了两个丫头，一个与宝玉，一个给环儿。只是年纪还小，又怕他们误了念书，再等一二年再提。』（显然贾政对赵还不错，才能求得上话。）赵姨娘还要说话，只听外面一声响，不知何物，大家吃了一惊。未知如何，下回分解。

家道艰难，实有苦处，漏洞很多，蹇象丛生。做主子的有事事为人作『主』的癖好。也是一种权力卖弄欲。从来旺妇为儿子说亲事，扯到赵姨娘，扯到宝玉。一场暴风雨开始准备酝酿。

鸳鸯的角色，必须兼顾各方，而且兼顾内外、虚实、真伪，要忠诚，但不能呆板，要主流，但不能教条，要兼顾地位、名分、实权、利益分配、人际关系与自己的脚步、影响。

第七十三回　痴丫头误拾绣春囊　懦小姐不问累金凤

话说那赵姨娘和贾政说话，忽听外面一声响，不知何物，忙问时，原来是外间窗屉不曾扣好，滑了屈戌，掉下来。（到底何物？）赵姨娘骂了丫头几句，自己带领丫鬟上好，方进来打发贾政安歇，不在话下。（贾政由赵『打发安歇』，有点意思。）

却说怡红院中，宝玉方才睡下，丫鬟们正欲各散安歇，忽听有人来敲院门。老婆子开了，见是赵姨娘房内的丫头，名唤小鹊的，问他作什么事，小鹊不答，直往房内，来找宝玉。只见宝玉才睡下，晴雯等犹在床边坐着，大家玩笑，见他来了，都问：『什么事，这时候又跑来做什么？』小鹊笑向宝玉道：『我来告诉你一个信儿，方才我们奶奶，咕咕唧唧，在老爷前不知说了你些个什么，我只听见「宝玉」二字。我来告诉你，仔细明儿老爷向你说话，着实留神。』（你中有我，我中有你。结果矛盾更增加了。方才政、赵谈话听到响动，是否与小鹊听窗户根有关？）说着，回身去了。袭人命人留他吃茶，因怕关门，遂一直去了。

这里宝玉知道赵姨娘心术不端，合自己仇人是的，又不知他说些什么，听了便如孙大圣听见了『紧箍咒』一般，登时四肢五内，一齐皆不自在起来。想来想去，别无他法，且理熟了书，预备明儿盘考，只能书不舛错，便有他事，也可搪塞。（宝玉也只是这点起色。）一面想罢，忙披衣起来要读书。心中又自后悔：『这些日子，只说不提了，偏又丢生，早知该天天好歹温习些的。』如今打算打算，肚子里现可背诵的，不过只有《学》《庸》《二论》还背得出来。至上本《孟子》，就有一半是夹生的，若凭空提一句，断不能背的；至下《孟子》，就有大半生的。算起《五经》来，因近来做诗，常把《五经》集些，虽不甚熟，还可塞责的。别的虽不记得，素日贾政幸未叫读的，纵不知，也还不妨。至于古文，这是那几年所读过的几篇《左传》《国策》《公羊》《穀梁》、汉、唐等文，这几年未曾读得，不过一时之兴，随看随忘，未曾下过苦功，如何记得？这是更难塞责的。更有时文八股一道，因平素深恶此道，原非圣贤之制撰，焉能阐发圣贤之奥，不过是后人饵名钓禄之阶。（太对了！宝玉一眼看穿，为何社会反看不穿？有此需要——如鲁迅所说的瞒和骗的需要罢了。）虽贾政当日起身，选了百十篇命他读的，不过是后人的时文，偶见其中一二股内，或承起之中，有做得精致，或流荡，或游戏，或悲感，稍能动性者，偶尔一读，不过供一时之兴趣，究竟何曾成篇潜心玩索？如今若温习这个，又恐明日盘究那个；若温习那个，又恐盘驳这个。（其实小鹊的情报不准确，这是第一个阴差阳错的折腾。）一夜之工，亦不能全然温习。因此，越添了焦躁。自己读书，不知紧要，却累着一房丫鬟们都不能睡。袭人等在旁剪烛斟茶，那些小的都困倦起来，前仰后合。晴雯骂道：『什么蹄子！一个个黑家白日挺尸挺不够，偶然一次睡迟了些，就装出这个腔调儿来了。再这样，我拿针扎你们两下子！』（没事找事，没事出事。一报有误，一人折腾，便开始带动一批人折腾。）

话犹未了，只听外间『咕咚』一声。（左一声『咕咚』，右一声『咕咚』。假雷慢慢打成了真雷。）急忙看时，原来是一个小丫头坐着打盹，一头撞到壁上了，从梦中惊醒，却正是晴雯说这话之时，他怔怔的只当是晴雯打了他一下，遂哭着央说道：『好姐姐，我再不敢了。』众人都发起笑来。（有大家哭的时候呢。）宝玉忙劝道：『饶他罢。原该叫他们睡去。你们也该替换着睡。』袭人道：『小祖宗，你只顾你的罢！统共这一夜的工夫，你把心暂且用在这几本书上，等过了这一关，由你再张罗别的，也不算误了什么。』（《四书》《五经》八股，哪如姑娘们关心动情。）宝玉听他说得恳切，只得又读几句。麝月斟了一杯茶来润舌，宝玉接茶吃了。因见麝月只穿着短袄，解了裙子，宝玉道：『夜静了，冷，到底穿一件大衣裳才是。』麝月笑指着书道：『你暂且把我们忘了，且把心对着他些罢。』

话犹未了，只听春燕秋纹从后房门跑进来，口内喊说：『不好了，一个人从墙上跳下来了！』（又『咕咚』了。第二件阴差阳错。）众人听说，忙问：『在那里？』即喝起人来，各处寻找。

晴雯因见宝玉读书苦恼，劳费一夜神思，明日也未必妥当，心下正要替宝玉想出一个主意来，好脱此难。忽然逢着这一惊，便生计向宝玉道：『趁这个机会，快装病，只说吓着了。』（晴雯用计，最后石头砸到自己脚上。晴雯恃宠恃才，大意了。）正中宝玉心怀。因而叫起上夜人等来，打着灯笼，各处搜寻，并无踪迹，都说：『小姑娘们想是睡花了眼出去，风摇的树枝儿，错认了人。』晴雯便道：『别放屁！你们查得不严，怕耽不是，还拿这话来支吾。刚才并不是一个人见的，宝玉和我们出去有事，大家亲见的。如今宝玉吓得颜色都变了，满身发热，我如今还要上房里取安魂丸药去；太太问起来，是要回明白的，难道依你说就罢了不成。』（令人想起一个典故：『文革』中一农村马棚失火，然后展开了『小驹踢灯造成火灾』论与『阶级敌人破坏造成』论的论战。前者被批为右倾机会主义。进一步折腾。玩火。应知折腾的结果只可能是一场灾难。看来，人常常是为击倒自己而奔忙。）众人听了，吓得不敢则声，只得又各处去找。晴雯和秋纹二人果出去要药，故意闹得众人皆知宝玉着了惊，吓病了。王夫人听了，忙命人来看视给药，又吩咐各上夜人仔细搜查；又一面叫查二门外邻园墙上夜的小厮们。（『斗』的气氛渐渐造成。）于是园内灯笼火把，直闹了一夜。至五更天，就传管家的细看查访。

贾母闻知宝玉被吓，细问原由，不敢再隐，只得回明。贾母道：『我不料道有此事。如今各处上夜人都不小心还是小事，只怕他们就是贼，也未可知。』（不要以为贾母是个只享清福的人，她也是『杀』出来的，在旧中国，哪个出人头地的人不是恶斗出来的？语出惊人，恶声恶气，与老太太的素日慈祥亲切大不相同。）当下邢夫人并尤氏等都过来请安，李纨凤姐及姊妹等皆陪侍，听贾母如此说，都默然无所答。（大家默不作声，自有道理。独探春积极响应，也是搬石头砸脚。第三步阴差阳错。）独探春出位笑道：『近因凤姐姐身子不好几日，园里的人，比先放肆许多。先前不过是大家偷着一时半刻，或夜里坐更时，三四个人聚在一处，或掷骰，或斗牌，小小的玩意，不过为熬困起见。迩来渐次放诞，竟开了赌局，甚有头家局主，或三十吊五十吊的大输赢。半月前竟有争斗相打之事。』（探春自找麻烦，使局面向恶化方面发展。）贾母听了，忙说：『你既知道，为何不早回我们来？』探春道：『我因想着太太事多，且连日不自在，所以没回，只告诉大嫂子和管事的人们，戒饬过几次，近日好些。』贾母忙道：『你姑娘家，如何知道这里头的利害。你自为赌钱常事，不过怕起争论。殊不知夜间既要钱，就保不住不吃酒；既吃酒，就未免门户任意开锁，或买东西。其中夜静人稀，趁便藏贼引盗，何等事做不出来。况且园内你姊妹们起居所伴者，皆系丫头媳妇们，贤愚混杂，贼盗事小，倘有别事，略沾带些，关系非小！这事岂可轻恕。』（保不住，莫须有，越说越没有边了。无限上纲，无限发挥。）

贾母声气如此凶恶、意外、不祥，也是众人特别是晴雯带头折腾、玩火的结果。也说明，正如贾母自己说过的，当年她比如今的凤姐还要『能』。能够『能』，就不仅有享福、吃好、玩好、说笑话、宠孙子的一面，必然还有——尤其是对下人——凶神恶煞的一面。

探春听说，便默然归坐。（现在她也默然了。）凤姐虽未大愈，精神未尝稍减，今见贾母如此说，便忙道：『偏

生我又病了。』遂回头命人速传林之孝家的等总理家事的四个媳妇到来，当着贾母申饬了一顿。贾母命：『即刻查了头家赌家来，有人出首者赏，隐情不告者罚。』林之孝家的等见贾母动怒，谁敢徇私，忙去园内传齐，又一一盘查。（贾母动怒，凤姐亲抓，大事不好。阴差阳错之四。其实都是小鹊谎报军情，晴雯随意玩火引起。当然，从必然的角度看，也是贾府矛盾重重、上下交恶的一种暴露。）虽然大家赖一回，终不免水落石出。查得大头家三人，小头家八人，聚赌者统共二十多人，都带来见贾母，跪在院内，磕响头求饶。贾母先问大头家名姓，和钱之多少。原来这大头家，一个是林之孝家的两姨亲家，（林之孝家的亦是搬石砸脚。）一个是园内厨房内柳家媳妇之妹，一个是迎春之乳母。这是三个为首的，余者不能多记。贾母便命将骰子纸牌一并烧毁，所有的钱入官，分散与众人；将为首者每人打四十大板，撵出去，总不许再入；从者每人打二十板，革去三月月钱，拨入圊厕行内。又将林之孝家的申饬了一番。（贾母反赌，态度坚决。）

贾母的既这样就保不住那样的莫须有扩大化逻辑十分惊人，也十分凶险。按这种逻辑，必然遇事小题大做，鸡飞狗跳。这种逻辑其实不符合起码的逻辑规则，也就不符合事实，所以表面凶，实际解决不了问题而给坏人以可乘之机。形『左』的结果必定是实右。

林之孝家的见他的亲戚又与他打嘴，自己也觉没趣；迎春在坐也觉没意思。黛玉、宝钗、探春等见迎春的乳母如此，也是『物伤其类』的意思，遂都起身笑向贾母讨情，说：『这个奶奶，素日原不玩的，不知怎么，也偶然高兴，求看二姐姐面上，饶过这次罢。』（一直拉扯到迎春山头，阴差阳错到了第五步了。）贾母道：『你们不知道！大约这些奶子们，一个个仗着奶过哥儿姐儿，原比别人有些体面，他们就生事，比别人更可恶，专管调唆主子，

护短偏向。我都是经过的。况且要拿一个作法，恰好果然就遇见了一个。你们别管，我自有道理。』（平时不过问具体事务的贾母亲自抓管理，更没谱了。贾母的这些话，分量极重。如此这般，出大事的气氛已经造成了。）宝钗等听说，只得罢了。

一时，贾母歇晌，大家散出，都知贾母生气，皆不敢回家，只得在此暂候。尤氏到凤姐儿处来闲话了一回，因他也不自在，只得园内去闲谈。邢夫人在王夫人处坐了一回，也要到园内走走。刚至园门前，只见贾母房内的小丫头子名唤傻大姐的，笑嘻嘻走来，手内拿着个花红柳绿的东西，低头瞧着只管走，不防迎头撞见邢夫人，抬头看见，方才站住。（是阴差阳错的第六步，也是一场糊涂世界大战的开端。）邢夫人因说：『这傻丫头，又得个什么爱巴物儿，这样欢喜？拿来我瞧瞧。』（撞到邢夫人，绣春囊算是得其主了。）

原来这傻大姐年方十四五岁，是新挑上来的，与贾母这边专做粗活。因他生得体肥面阔，两只大脚，做粗活爽利简捷，且心性愚顽，一无知识，出言可以发笑，贾母欢喜，便起名为『傻大姐』。若有错失，也不苛责他。（丑、粗、笨也是得宠条件。）无事时，便入园内来玩耍。正往山石背后掏促织去，忽见一个五彩绣香囊，上面绣的并非花鸟等物，一面却是两个人，赤条条的相抱，一面是几个字。这痴丫头原不认得是春意儿，心下打量：『敢是两个妖精打架？不就是两口子打架呢。』左右猜解不来，正要拿去与贾母看呢，所以笑嘻嘻走回。忽见邢夫人如此说，便笑道：『太太真个说的巧，真是个爱巴物儿！太太瞧一瞧。』说着，便送过去。（不傻也会隐匿，不是邢夫人也会隐匿；如此看来，这场大战简直是天意！）邢夫人接来一看，吓得连忙死紧攥住，忙问：『你是那里得的？』傻大姐道：『我掏促织儿，在山子石后头拣的。』邢夫人道：『快别告诉人，这不是好东西，连你也要打死呢。因你素日是个傻丫头，以后再别提了。』这傻大姐听了，反吓得黄了脸，说：『再不敢了。』磕了头，呆呆而去。（或令人联想到司棋，联想到她被鸳鸯撞见与此后的强烈反应。）

邢夫人回头看时，都是些女孩儿，不便递与他们，自己便塞在袖里。心内十分罕异，揣摩此物从何而来，且不形于声色，且到迎春房里。迎春正因他乳母获罪，心中不自在，忽报母亲来了，遂接入。奉茶毕，邢夫人因说道：『你这么大了，你那奶妈子行此事，你也不说说他；如今别人都好好的，偏咱们的人做出这事来，什么意思。』迎春低头弄衣带，半晌答道：『我说他两次，他不听，也叫我无法儿。况且他是妈妈，只有他说我的，没有我说他的。』邢夫人道：『胡说！你不好了，他原该说；如今他犯了法，你就该拿出姑娘的身分来。他敢不依，你就回我去才是。如今直等外人共知，这可是什么意思！（正好火上浇油。错入第七步，错入膏肓了。山头高于一切，事情本身反不重要了。真真令人怀疑：莫非贾母坚持从重处理迎春乳母，也有或隐或现的山头意识作祟？）再者，放头儿，还只怕他巧语花言的和你借贷些簪环衣服做本钱。你这心活面软，未必不周济他些。若被他骗了去，我是一个钱没有的，看你明日怎么过节。』迎春不语，只低着头。邢夫人见他这般，因冷笑道：『你是大老爷跟前的人养的，这里探丫头是二老爷跟前的人养的，出身一样，你娘比赵姨娘强十分，你也该比探丫头强才是。怎么你反不及他一半！（引出更深刻的矛盾了。你矛盾我，我矛盾你，战争是不可避免的了。）倒是我无儿女的一生干净，也不能惹人笑话。』人回：『琏二奶奶来了。』邢夫人听了，冷笑两声，命人出去说：『请他自己养病，我这里不用他伺候。』（你有你的打法，我有我的打法，邢自有道理。）接着又有探事的小丫头来报说：『老太太醒了。』邢夫人方起身往前边来。

抄检大战前插入迎春事，入情入理。客观上，这是为邢夫人的抓辫子大将军作铺垫。迎春如此受气，只能由乃(嫡)母出面闹它一次。邢夫人掌握了绣春囊，世界大战的按钮只待一按便爆发了。暂时按下不表，说说迎春这个不太重要的人物山头里的事。也是欲擒故纵，摇曳多姿，面面俱到。好比决战前统帅刮刮胡子，关心一下卫士的闲事。然后，厮杀开始，别的全顾不上了。

迎春送至院外方回。绣橘因说道：（又凭空杀出一员小将绣橘。）『如何？前儿我回姑娘：「那一个攒珠累金凤，竟不知那里去了。」回了姑娘，竟不问一声儿。我说：「必是老奶奶拿去，当了银子，放头儿的。」姑娘不信，只说：「司棋收着。」叫问司棋，司棋虽病，心里却明白，说：「没有收起来，还在书架上匣内放着，预备八月十五要戴呢。」姑娘该叫人去问老奶奶一声。』迎春道：『何用问，那自然是他拿了去摘了肩儿了。我只说他悄悄的拿了出去，不过一时半晌，仍旧悄悄的放在里头，谁知他就忘了。今日偏又闹出来，问他也无益。』绣橘道：『何曾是忘记！他是试准了姑娘的性格，所以才这样。如今我有个主意：走到二奶奶房里，将此事回了，他或着人要，他或省事拿几吊钱来替他赎了。如何？』迎春忙道：『罢，罢，罢！省事些好。宁可没有了，又何必生事。』绣橘道：『姑娘怎这样软弱？都要省起事来，将来连姑娘还骗了去！（也是预兆。）我竟去的是。』说着便走。迎春便不言语，只好由他。

谁知迎春的乳母之媳玉柱儿媳妇为他婆婆得罪，来求迎春去讨情，他们正说金凤一事，且不进去。也因素日迎春懦弱，他们都不放在心上；如今见绣橘立意去回凤姐，又看这事脱不过去，只得进来，陪笑先向绣橘说：（螳螂捕蝉，黄雀在后。隔墙有耳。）『姑娘，你别去生事。姑娘的金丝凤，原是我们老奶奶老糊涂了，输了几个钱，没的

捞梢，所以借去，不想今日弄出事来。虽然这样，到底主子的东西，我们不敢迟误，终久是要赎的。如今还要求姑娘看着从小儿吃奶的情分，常往老太太那边去讨一个情，救出他来才好。』（凤姐严厉。手大捂不过天来，她严她的，下边松懈猫儿腻下边的。缺少层层负责、各有权贵的分层管理机制。）迎春便说道：『好嫂子，你趁早打了这妄想。要等我去说情儿，等到明年，也是不中用的。方才连宝姐姐林妹妹大伙儿说情，老太太还不依，何况是我一个人。我自己臊还臊不过来，还去讨臊去！』绣橘便说：『赎金凤是一件事，说情是一件事，别绞在一处。难道姑娘不去说情，你就不赔了不成？嫂子且取了金凤来再说。』

玉柱儿家的听见迎春如此拒绝他，绣橘的话又锋利，无可回答，一时脸上过不去，也明欺迎春素日好性儿，乃向绣橘发话道：『姑娘，你别太张势了。你满家子算一算，谁的妈妈奶奶不仗着主子哥儿姐儿多得些意，偏咱们就这样「丁是丁，卯是卯」的，只许你们偷偷摸摸的哄骗了去。自从邢姑娘来了，太太吩咐一个月俭省一两银子来与舅太太去，这里饶添了邢姑娘的使费，反少了一两银子。时常短了这个，少了那个，那不是我们供给，谁又要去？（互抓短处，互捅伤疤。）不过大家将就些罢了。算到今日，少说也有三十两了。我们这一向的钱，岂不白填了限呢。』（恶劣风气已经形成，大家便向恶看齐，正经道理反成了『太张势』了。）绣橘不待说完，便啐了一口，道：『做什么你白填了三十两，我且和你算算账，姑娘要了些什么东西？』

迎春听了这媳妇发邢夫人之私意，忙止道：『罢，罢，罢！不能拿了金凤来，你不必拉三扯四乱嚷。我也不要那凤了。便是太太问时，我只说丢了，也妨碍不着你什么，你出去歇息歇息倒好。』（遇到迎春这样的主子，或遇到

凤姐式的主子，不知哪一边的奴才日子好过一些？）一面叫绣橘倒茶来。绣橘又气又急，因说道：『姑娘虽不怕，我们是做什么的？把姑娘的东西丢了，他倒赖说姑娘使了他们的钱，这如今竟要准折起来。倘或太太问姑娘为什么使了这些钱，敢是我们就中取势？这还了得！』一行说，一行就哭了。司棋听不过，只得勉强过来，帮着绣橘，问着那媳妇。迎春劝止不住，自拿了一本《太上感应篇》去看。（妙。令人想到《子夜》的开头。『太上』篇妙用无穷。）

迎春这一套，从老观点看，实是人生极高境界。从绣橘、司棋的眼光看，这样的主子真正是窝囊废！

三人正没开交，可巧宝钗、黛玉、宝琴、探春等，因恐迎春今日不自在，都约着来安慰。他们走至院中，听见几个人讲究，探春从纱窗内一看，只见迎春倚在床上看书，若有不闻之状，探春也笑了。（这『画面』也是典型的。应该画一幅迎春闹中取静读『太上』篇图。）小丫头们忙打起帘子报道：『姑娘们来了。』迎春放下书起身。那媳妇见有人来，且又有探春在内，不劝自止了，遂趁便就走。探春坐下，便问：『刚才谁在这里说话？倒像拌嘴似的。』迎春笑道：『没有什么，左不过他们小题大做罢了。何必问他。』探春笑道：『我才听见什么『金凤』，又是什么『没有钱，只合我们奴才要』。谁和奴才要钱了？难道姐姐和奴才要钱不成？』司棋绣橘道：『姑娘说得是了，姑娘何曾和他要什么了？』探春笑道：『姐姐既没有和他要，必定是我们和他们要了不成！你叫他进来，我倒要问问他。』迎春笑道：『这话又可笑。你们又无沾碍，何必如此？』探春道：『这倒不然。我和姐姐一样，姐姐的事和我一般。他说姐姐，即是说我；我那边有人怨我，姐姐听见，也是合怨姐姐一样。咱们是主子，自然不理论那些钱财小事，只知想起什么要什么，也是有的事。但不知金累丝凤因何又夹在里头？』

那玉柱媳妇生恐绣橘等告出他来，遂忙进来用话掩饰。探春深知其意，因笑道：『你们所以糊涂。如今你奶奶已得了不是，趁此求二奶奶，把方才的钱未曾散人的拿出些来赎取就完了。比不得没闹出来，大家都藏着留脸面；如今既是没了脸，趁此时，总有十个罪也只一人受罚，没有砍两颗头的理。你依我说，竟是和二奶奶趁便说去。在这里大声小气，如何使得。』这媳妇被探春说出真病，也无可赖了，只不敢往凤姐处自首。探春笑道：『我不听见便罢，既听见，少不得替你们分解分解。』

谁知探春早使了眼色与侍书，侍书出去了。这里正说话，忽见平儿进来。宝琴拍手笑道：『三姐姐敢是有驱神召将的符术？』黛玉笑道：『这倒不是道家玄术，倒是用兵最精的所谓『守如处女，出如脱兔』，『出其不备』的妙策。』（黛玉对这一套也不陌生。黛玉如生活在另一种条件下，会不会展现她精明乃至苛刻的那一面呢？）二人取笑，宝钗便使眼色与二人，遂以别话岔开。探春见平儿来了，遂问：『你奶奶可好些了？真是病糊涂了，事事都不在心上，叫我们受这样委屈。』平儿忙道：『谁敢给姑娘气受？姑娘吩咐我。』那玉柱儿媳妇方慌了手脚，遂上来赶着平儿叫：『姑娘坐下，让我说原故，姑娘请听。』平儿正色道：『姑娘这里说话，也有你混插口的理！你但凡知礼，只该在外头伺侍。也有外头的媳妇们无故到姑娘房里来的？』（欲解决实质，先批评程序。一个程序——礼的问题就把她压扁了。）绣橘道：『你不知我们这屋里是没礼的，谁爱来就来！』平儿道：『都是你们不是！姑娘好性儿，你们就该打出去，然后再回太太去才是。』

柱儿媳妇见平儿出了言，红了脸，方退出去。（柱儿媳妇之流，不能给脸。不压着她，她就要生事乃至欺讹别人。）探春接着道：『我且告诉你，若是别人得罪了我，倒还罢了；如今这柱儿媳妇和他婆婆，仗着是嬷嬷，又瞅着二姐姐好性儿，私自拿了首饰去赌钱，而且还捏造假账，逼着去讨情，和这两个丫头在卧房里大嚷大叫，二姐姐竟不能辖治。所以我看不过，才请你来问一声：还是他本是天外的人，不知道理？还是有谁主使他如此，先把二姐姐制伏了，然后就要治我和四姑娘了？』（凤姐毕竟在位，有迁就对付的一面。探春只是协理，出了事她也将凤姐的军，使事态益发恶化。）

平儿忙陪笑道：『姑娘怎么今日说出这话来？我们奶奶如何担得起！』探春冷笑道：『俗语说的，「物伤其类，齿竭唇亡」，我自然有些惊心。』平儿问迎春道：『若论此事，本好处的；但只他是姑娘的奶嫂，姑娘怎么样为是？』（也是按性格的浓聚化鲜明化来构思的。平儿一问，把球踢到迎春这边了。）

当下迎春只合宝钗看《感应篇》故事，究竟连探春之话也不曾闻得，忽见平儿如此说，仍笑道：『问我，我也没什么法子。他们的不是，自作自受，我也不能讨情，我也不去加责就是了。至于私自拿去的东西，送来我收下；不送来，我也不要了。太太们要来问我，可以隐瞒遮饰的过去，是他的造化；若瞒不住，我也没法儿，没有个为他们反欺枉太太们的理，少不得直说。你们若说我好性儿，没个决断，有好主意可以八面周全，不叫太太们生气，任凭你们处治，我也不管。』（其实迎春这一套话并不简单，甚至有八面玲珑之态。）众人听了，都好笑起来。黛玉笑道：『真是「虎狼屯于阶陛，尚谈因果」。若使二姐姐是个男人，一家上下这些人，又如何裁治他们？』（看来黛玉亦有凤姐之才、智。唯凤姐无黛玉之文化素养与情操。所以说书愈读就愈蠢。下人向恶看齐，主子向弱、劣看齐。）迎春笑道：『正是。多少男人，尚且如此，何况我呢。』一语未了，只听又有一人来了。不知是谁，下回分解。

此回探春未免好强太过，气焰亦高，毕竟还是姑娘家，谙事未深，难称老到。探春迎春一起写，互相映衬，对比分明。各种矛盾露头，如同暴风雨前乌云自四面八方渐渐聚拢。

许多小事，小差错，如滚雪球一般，渐成气候，形成了风暴眼。

第七十四回 惑奸谗抄检大观园 避嫌隙杜绝宁国府

曰『惑奸谗』，作者的倾向性是明显的，是完全否定这一抄检行动的。不抄检又怎么样呢？四面起火，八方冒烟。

话说平儿听迎春说了，正自好笑，忽见宝玉也来了。原来管厨房柳家媳妇的妹子，也因放头开赌得了不是。因这园中有素与柳家的不好的，便又告出柳家的来，说他和妹子是伙计，赚了平分。因此凤姐要治柳家之罪。那柳家的听得此信，便慌了手脚，因思素与怡红院的人最为深厚，故走来悄悄的央求晴雯芳官等人，转告诉了宝玉。（各有各的渠道。）宝玉因思内中迎春的嬷嬷也现有此罪，不若来约同迎春去讨情，比自己独去单为柳家的说情又更妥当，故此前来。忽见许多人在此，见他来时，都问道：『你的病可好了，跑来做什么？』宝玉不便说出讨情一事，只说：『来看二姐姐。』当下众人也不在意，且说些闲话。

平儿便出去办『累金凤』一事。那玉柱儿媳妇紧跟在后，口内百般央求，只说：『姑娘好歹口内超生，我横竖去赎了来。』平儿笑道：『你迟也赎，早也赎，「既有今日，何必当初」。你的意思「得过就过」，既是这样，我也不好意思告人，趁早儿取了来，交与我送去，一字不提。』（平儿做事，压你服了，给以出路，行好积德。也算既讲原则又讲灵活。）玉柱儿媳妇听说，方放下心来，就拜谢，又说：『姑娘自去贵干，赶晚赎了来，先回了姑娘，再送去，如何？』平儿道：『赶晚不来，可别怨我。』说毕，二人方分路各自散了。

平儿到房，凤姐问他：『三姑娘叫你做什么？』平儿笑道：『三姑娘怕奶奶生气，叫我劝着奶奶些，问奶奶这两天可吃些什么？』凤姐笑道：『倒是他还记挂我。刚才又出来了一件事：有人来告柳二媳妇和他妹子通同开局，凡妹子所为，都是他作主。我想，你素日肯劝我「多一事不如省一事，自己保养保养也是好的」。我因听不进去，果然应了，先把太太得罪了，而且反赚了一场病。如今我也看破了，随他们闹去罢，横竖还有许多人呢。我白操一会子心，倒惹的万人咒骂，不如且自家养养病；就是病好了，我也会做好好先生，得乐且乐，得笑且笑，一概是非都凭他们去罢。所以我只答应着知道了。』（实际是对宝玉线上的人的客气。当然也有自己的考虑。如是另外线上的呢？不排除怒从心头起、恶向胆边生的可能性。）平儿笑道：『奶奶果然如此，那就是我们的造化了。』

一语未了，只见贾琏进来，拍手叹气道：『好好的又生事！前儿我和鸳鸯借当，那边太太怎么知道了。（明明是自己的继母，却称为『那边太太』，亲疏之意可见。）才刚太太叫过我去，叫我不管那里先借二百银子，做八月十五节下使用。我回没处借，太太就说：「你没有钱就有地方挪移，我白和你商量，你就搪塞我，你就没地方儿！前儿一千银子的当是那里的？连老太太的东西你都有神通弄出来，这会二百银子你就这样难。亏我没和别人说去。」（那边与这边的矛盾日益激化。）我想太太分明不短，何苦来又寻事奈何人。』（邢夫人没有权，但有势，有辈份儿，有地位，她闹起来，也麻烦。）凤姐儿道：『那日并没个外人，谁走了这个消息？』平儿听了，也细想那日有谁在此，想了半日，笑道：『是了。那日说话时没人，但晚上送东西来的时节，老太太那边傻大姐的娘可巧来送浆洗衣服，他在下房里坐了一会子，看见一大箱子东西，自然要问，必是小丫头们不知道，说出来了，也未可知。』因此便唤了几个小丫头来问：『那日谁告诉傻大姐的娘了？』众小丫头慌了，都跪下赌神发誓说：『自来也没敢多说一句话。有人凡问什么，都答应不知道，这事如何敢说。』（查也白查。）

凤姐详情度理，说：『他们必不敢多说一句话，倒别委屈了他们。如今把这事靠后，且把太太打发了去要紧。宁可咱们短些，又别讨没意思。』因叫平儿：『把我的金首饰再去押二百银子来，送去完事。』贾琏道：『越发多押二百，咱们也要使呢。』凤姐道：『很不必，我没处使。这不知还指那一项赎呢！』平儿拿了去，吩咐旺儿媳妇领去，不一时，拿了银子来，贾琏亲自送去，不在话下。（财政状况恶化、人际关系恶化、山头关系恶化、纪律秩序恶化、道德风气恶化……全面恶化导致一场灾难，无法避免。）

看平儿处理柱儿媳妇，凤姐处理柳家的，似乎诸事可能平息。其实，大战之势已成，局面已不是凤、平所能掌握的了。也是一种树欲静而风不止呢。

这里凤姐和平儿猜疑走风的人：『反叫鸳鸯受累，岂不是咱们过失。』正在胡想，人报：『太太来了。』凤姐听了诧异，不知何事，遂与平儿等忙迎出来。（突发事件，凤完全被动。）只见王夫人气色更变，只带一个贴己小丫头走来，一语不发，走至里间坐下。凤姐忙捧茶，因陪笑问道：『太太今日高兴，到这里逛逛？』王夫人喝命：『平儿出去！』（一句话等于宣布了紧急状态。）平儿见了这般，不知怎么了，忙应了一声，带着众小丫头一齐出去，在房门外站住。越发将房门掩了，自己坐在台阶上，所有的人一个不许进去。（让你平儿体面就体面，不让你体面，老老实实当你的奴才去。）

凤姐也着了慌，不知有何事。只见王夫人含着泪，从袖里掷出一个香袋来，说：『你瞧！』凤姐忙拾起一看，见是十锦春意香袋，也吓了一跳，忙问：『太太从那里得来？』王夫人见问，越发泪如雨下，颤声说道：『我从那里得来？我天天坐在井里，想你是个细心人，所以我才偷空儿，谁知你也和我一样。这样东西，大天白日，明摆在园里山石上，被老太太的丫头拾着，不亏你婆婆看见，早已送到老太太跟前去了。我且问你：这个东西如何丢在那里？』（王夫人的道德情操感天动地。『坐井』云云，此话失态。）

凤姐听得，也更了颜色，忙问：『太太怎么知道是我的？』（惊慌失措，自己先起火冒烟。）王夫人又哭又叹道：『你反问我！你想，一家子除了你们小夫小妻，余者老婆子们，要这个何用？女孩子们是从那里得来？自然是那琏儿不长进下流种子那里弄来的。（『自然』云云，岂能自然？不重证据、不讲逻辑、不察始末的想当然。）你们又和气，当作一件玩意儿；年轻的人，儿女闺房私意是有的，你还和我赖！幸而园内上下人还不解事，尚未拣得，倘或丫头们拣着，你姊妹看见，这还了得。不然，有那小丫头们拣着出去，说是园内拣的，外人知道，这性命脸面要也不要？』王夫人发火而且毫不怀疑地怪罪凤姐，第八步错，而且是大错特错了。凤姐再恶、坏，贾府离了她就更一塌糊涂。

凤姐听说，又急又愧，登时紫胀了面皮，便挨着炕沿双膝跪下，也含泪诉道：（凤姐成了罪魁祸首，被逼到了死角，

只有自己含泪下跪申诉。）『太太说的固然有理，我也不敢辩我并无这样东西，但其中还要求太太细想：这香袋儿是外头仿着内工绣的，带连穗子一概是市卖的东西。我虽年轻不尊重，也不肯要这样东西。再者，这也不是常带着的，我纵然有，也只好在私处搁着，焉肯在身上常带，各处逛去？况且又在园里去，个个姊妹，我们多肯拉拉扯扯，倘或露出来，不但在姊妹前看见，就是奴才看见，我有什么意思？三则论主子内，我是年轻媳妇，算起来，奴才比我更年轻的又不止一个了。况且他们也常在园走动，焉知不是他们掉的？（炮火烧向那边的赦、邢山头，但已无威慑力。）再者，除我常在园里，还有那边太太常带过几个小姨娘来，嫣红翠云那几个人，也都是年轻的人，他们更该有这个了。还有那边珍大嫂子，他也不算很老，也常带过佩凤他们来，又焉知又不是他们的？况且园内丫头太多，保不住都是正经的。或者年纪大些的，知道了人事，一刻查问不到，偷了出去，或借着因由，合二门上小么儿们打牙撂嘴儿，外头得了来的，也未可知。不但我没此事，就连平儿，我也可以下保的。太太请细想。』（凤姐在极其不利的形势下，铁嘴铜牙，有条不紊，入情入理地发表了辩护词。）

王夫人听了这一夕话，很近情理，因叹道：『你起来。我也知道你是大家子的姑娘出身，不至这样轻薄，不过我气激你的话。（来势汹汹，说改口又改口。常有理，把冤枉说成『气激』。唉！）但只如今，且怎么处？你婆婆才打发人封了这个给我瞧，把我气了个死。』凤姐道：『太太快别生气。若被众人觉察了，保不定老太太不知道。（有将军者，有吃将者。老太太知道了会怎么样？放火杀人不成？）且平心静气，暗暗访察，才能得这个实在；纵然访不着，外人也不能知道。如今惟有趁着赌钱的因由革了许多人这空儿，把周瑞媳妇旺儿媳妇等四五个贴近不能走话的人，安插

在园里，以查赌为由。再如今他们的丫头也太多了，保不住人大心大，生事作耗，等闹出来，反悔之不及。如今若无故裁革，不但姑娘们委屈烦恼，就连太太和我也过不去。不如趁此机会，以后凡年纪大些的，或有些咬牙难缠的，拿个错儿撵出去，配了人。一则保的住没有别事，二则也可省些用度。太太想我这话如何？』（凤姐还是用自己的人。从查赌开始，查出了『黄』，再以查赌为由，暗查『黄源』。由是由，真实意图是真实意图。凤姐儿实想把主子间的矛盾转嫁给奴才们。）王夫人叹道：『你说的何尝不是，但从公细想，你这几个姊妹，每人只有两三个丫头像人，余者竟是小鬼儿是的，（两三个人，余者小鬼，这是奴才制度的必然。）如今再去了，不但我心里不忍，只怕老太太未必就依。虽然艰难，也还穷不至此。我虽没受过大荣华，比你们是强些，如今宁可省我些，别委屈了他们。你如今且叫人传周瑞家的等人进来，就吩咐他们快快暗访这事要紧。』凤姐即唤平儿进来，吩咐出去。（封建道德的不近人情，虚伪矫情，令人难解。实际上『扒灰』『养小叔子』倒不可怕，一个工艺品或玩物却像是奇耻大辱、奇魔大怪一般，直把大观园轰了个摇摇欲坠。）

一时，周瑞家的与吴兴家的、郑华家的、来旺家的、来喜家的现在五家陪房进来。王夫人正嫌人少，不能勘察，忽见邢夫人的陪房王善保家的走来，正是方才是他送香袋来的。王夫人向来看视邢夫人之得力心腹人等，原无二意，今见他来打听此事，便向他说：『你去回了太太，也进园来照管照管，比别人强些。』（王夫人高姿态——实际是向邢夫人让步。）王善保家的因素日进园去，那些丫鬟们不大趋奉他，他心里不自在，要寻他们的故事又寻不着，恰好生出这件事来，以为得了把柄；又听王夫人委托他，正碰在心坎上，道：『这个容易。不是奴才多话，论理这事该早严紧些的。太太也不大往园里去，这些女孩子们，一个个倒像受了封诰似的，他们就成了千金小姐

了。闹下天来，谁敢哼一声儿。不然，就调唆姑娘们，说欺负了姑娘们了，谁还耽得起。』（小人得志，丑态百出，又一个搬起石头砸自己的脚的。砸完了没一个同情，小说人物和时至今日的读者一致拍手称快。这种效应，也不同寻常。）王夫人道：『这也有的常情，跟姑娘们的丫头比别的姣贵些。』王善保家的道：『别的还罢了，太太不知，头一个是宝玉屋里的晴雯那丫头，仗着他生的模样儿比别人标致些，又生了一张巧嘴，天天打扮的像个西施样子，在人跟前能说惯道，抓尖要强。一句话不投机，他就立起两只眼睛来骂人。妖妖调调，大不成个体统。』（开始『官报私仇』，实乃事出有因。把王善保家的吸收到查访事务中来，是第九错。从小说角度看，她是搜检的急先锋，是戏剧性的关键人物。她不来，就没戏了。）

王夫人听了这话，猛然触动往事，便问凤姐道：『上次我们跟了老太太进园逛去，有一个水蛇腰、削肩膀儿、眉眼又有些像你林妹妹的，正在那里骂小丫头。我心里很看不上那狂样子，因同老太太走，我不曾说得；后来要问是谁，又偏忘了。今日对了槛儿，这丫头想必就是他了。』（骂小丫头云云，确实有些狂。王夫人『心里很看不上』，则除了道德观念以外还有自己的弗洛伊德。）凤姐道：『若论这些丫头们，共总比起来，都没晴雯生得好。论举止言语，他原轻薄些。（凤姐也坐实了晴雯的『轻薄』。愈是生得好，愈容易扣上『轻薄』的帽子。傻大姐决不轻薄。）方才太太说的倒很像她，我也忘了那日的事，不敢乱说。』

王善保家的便道：『不用这样，此刻不难叫了他来，太太瞧瞧。』王夫人道：『宝玉房里常见我的，只有袭人麝月，这两个笨笨的倒好。（『笨笨的倒好』，这是一种择劣选拔的原则。）要有这个，他自然不敢来见我的。我一生最嫌这样的人，（『一生最嫌』，则带有心理变态性质。）且又出来这个事。好好的宝玉，倘或叫这蹄子勾引坏了，

那还了得！』（『好好的宝玉』，有保护下一代的真意，但与实际情况相比，则如痴人说梦。）因叫自己的丫头来，吩咐他道：『你去，只说我有话问他，留下袭人麝月伏侍宝玉，不必来，有一个晴雯最伶俐，叫他即刻快来。你不许和他说什么。』

小丫头答应了，走入怡红院，正值晴雯身上不自在，睡中觉才起来，正发闷，听如此说，只得随了他来。素日晴雯不敢出头，因连日不自在，并没十分妆饰，自为无碍。及到了凤姐房中，王夫人一见他钗亸鬓松，衫垂带褪，大有春睡捧心之态；而且形容面貌恰是上月的那人，不觉勾起方才的火来。王夫人便冷笑道：『好个美人儿！真像个「病西施」了。你天天作这轻狂样儿给谁看？你干的事，打量我不知道呢！我且放着你，自然明儿揭你的皮！（丑是绝对容纳不了容忍不了美的。美在丑面前，确是罪大恶极。）宝玉今日可好些？』

王夫人亲自审察判断晴雯之事，大灾大难来了！一错再错，言行皆错，无法再计数了。凤姐的管理机制已经瘫痪，她已看出王夫人的不妥，但已无法进言。王夫人太情绪化了。这样易如反掌地「惑奸谗」，实说明她的思路、水平与邢夫人、王善保家的无异。但她又要做出一种仁义道德、高高在上、严格律己的样子。着实可叹。

晴雯一听如此说，心内大异，便知有人暗算了他，虽然着恼，只不敢作声。他本是个聪明过顶的人，见问宝玉可好些，他便不肯以实话答应，忙跪下回道：『我不大到宝玉房里去，又不常和宝玉在一处，好歹我不能知；那都是袭人合麝月两个人的事，太太问他们。』（晴雯随机应变，然已无力回天。从晴这方面总结经验，还是平时有失。）王夫人道：『这就该打嘴！你难道是死人，要你们做什么！』晴雯道：『我原是跟老太太的人，因老太太说园里空大人少，宝玉害怕，所以拨了我去外间屋里上夜，不过看屋子。我原回过我笨，不能伏侍，老太太骂了我，「又不叫你管他的事，要伶俐的做什么。」我听了，不敢不去，才去的。不过十天半月之内，宝玉叫着了，答应几句话，就散了。至于宝玉的饮食起居，上一层有老奶奶老妈妈们，下一层有袭人、麝月、秋纹几个人。我闲着还要做老太太屋里的针线，所以宝玉的事，竟不曾留心。太太既怪，从此后我留心就是了。』

王夫人信以为实了，忙说：『阿弥陀佛！你不近宝玉，是我的造化，竟不劳你费心。既是老太太给宝玉的，我明儿回了老太太，再撵你。』（王夫人的智商、经验如此！像个孩子。）因向王善保家的道：『你们进去，好生防他几日，不许他在宝玉屋里睡觉，等我回过老太太，再处治他。』喝声：『出去！站在这里，我看不上这浪样儿！谁许你这样花红柳绿的妆扮！』（迁怒到服装上。封建道德的核心是禁欲，所谓「存天理，灭人欲」。封建特权的要素是男性的纵欲。这样，王夫人势必心理变态，直至视晴雯为「妖精」。其实，这不是王夫人的发明，包括脍炙人口的「三打白骨精」，都告诉人们美女很可能是妖精。）晴雯只得出来，这气非同小可，一出门，便拿手帕子握脸，一头走，一头哭，直哭到园内去。

这里王夫人向凤姐等自怨道：『这几年我越发精神短了，照顾不到。这样妖精似的东西，竟没看见。只怕这样的还有，明日倒得查查。』凤姐见王夫人盛怒之际，又因王善保家的是邢夫人的耳目，常时调唆的邢夫人生事，纵有千百样言语，此刻也不敢说，只低头答应着。（凤姐也有不敢说、低头答应的时候。）王善保家的道：『太太且请息怒。这些小事，只交与奴才。如今要查这个是极容易的，等到晚上园门关了的时节，内外不通风，我们竟给他们个冷不防，带着人到各处丫头们房里搜寻。想来谁有这个，断不单有这个，自然还有别的；那时翻出别的来，自然这个也是他的了。』（她也是『自然』怎样，与王夫人一个腔调。无证据，无逻辑，任意铺展扩大，怎能不坏事。）王夫人道：『这话倒是。

若不如此，断乎不能明白。』因问凤姐：『如何？』凤姐只得答应说：『太太说是，就行罢了。』王夫人道：『这主意很是。不然一年也查不出来。』

（王善保家的突然大抄检方案，是一个祸园殃民、打击一大片的方案，使原来散处于各个角落的『起火』『冒烟』，变成自上而下的大火浓烟。凤姐原来的暗暗查访，借机处理一批人的方案，其实更符合贾府的利益，但王夫人一味对王善保家的——邢夫人让步，使凤不起作用了。）

于是大家商议已定，至晚饭后，待贾母安寝了，宝钗等入园时，王家的便请了凤姐一并进园，喝命将角门皆上锁，便从上夜的婆子处来抄拣起，不过抄拣些多余攒下蜡烛灯油等物。（凤姐反成了王家的催拨——跟班。）王善保家的道：『这也是赃，不许动的，等明日回过太太再动。』（赃越多，她功才越大。大观园内竟搞起抄家来。）于是先就到怡红院中，喝命关门。当下宝玉正因晴雯不自在，忽见这一干人来，不知为何，直扑了丫头们的房门去，因迎出凤姐来，问是何故。凤姐道：『丢了一件要紧的东西，因大家混赖，恐怕有丫头们偷了，所以大家都查一查去疑儿。』（凤姐勉为其难地进行说明。她的差也难当。）一面说，一面坐下吃茶。

王家的等搜了一回，又细问：『这几个箱子是谁的？』都叫本人来亲自打开。袭人因见晴雯这样，必有异事，又见这番抄拣，只得自己先出来打开了箱子并匣子，任其搜拣一番，不过平常通用之物。随放下，又搜别人的，挨次都一一搜过。到晴雯的箱子，因问：『是谁的？怎么不打开叫搜？』袭人方欲代晴雯开时，只见晴雯挽着头发闯进来，『豁啷』一声，将箱子掀开，两手提着底子，往地下一翻，将所有之物尽都倒出来。（干脆来痛快的。也是无办法的办法。）王善保家的也觉没趣儿，便紫胀了脸，说道：『姑娘，你别生气。我们并非私自就来的，原是奉太太的命来搜察，你们叫翻呢，我们就翻一翻，不叫翻，我们还许回太太去呢。那用急的这个样子！』（狗仗人势，借以吓人。）晴雯听了这话，越发火上浇油，便指着他的脸说道：『你说你是太太打发来的，我还是老太太打发来的呢！（可悲的是，你已经得不到老太太的关照了。）太太那边的人我也都见过，就只没看见你这么个有头有脸大管事的奶奶！』s

凤姐见晴雯说话锋利尖酸，心中甚喜，却碍着邢夫人的脸，忙喝住晴雯。（凤姐心态合理。）那王善保家的又羞又气，刚要还言，凤姐道：『妈妈，你也不必和他们一般见识，你且细细搜你的，咱们还到各处走走呢，再迟了，走了风，我可担不起。』（凤姐的才能，只能发挥到这细处了。）王善保家的只得咬咬牙，且忍了这口气，细细的看了一看，也无甚私弊之物，回了凤姐，要别处去，凤姐道：『你可细细的查，若这一番查不出来，难回话的。』（凤姐也只好拉旗。）众人都道：『尽都细翻了，没有什么差错东西，虽有几样男人物件，都是小孩子东西，想是宝玉的旧物，没甚关系的。』（晴雯发火，于己无补，但总不能让王善保家的太得意了。）

凤姐听了，笑道：『既然如此，咱们就走，再瞧别处去。』说着，一径出来，向王善保家的道：『我有一句话，不知是不是：要抄拣只抄拣咱们家的人，薛大姑娘屋里，断乎抄拣不得的。』（薛平时已将功夫做足，地位尊严，不可触犯。看来，邢夫人处宝钗也是做了工作，搞了平衡的。）王善保家的笑道：『这个自然，岂有抄起亲戚家来的。』凤姐点头道：『我也这样说呢。』一头说，一头到了潇湘馆内。（为什么可以抄黛玉的呢？）黛玉已睡了，忽报这些人来，不知为甚事，才要起来，只见凤姐已走进来，忙按住他不叫起来，只说：『睡着罢，我们就走的。』这边且说些闲话。（为何黛玉

（毫无反应？『促狭』『小性』都哪里去了？从小说学角度看倒可以理解，此回重点不在黛。）

那王善保家的带了众人，到了丫鬟房中，也一一开箱倒笼抄拣了一番。因从紫鹃房中搜出两副宝玉往常换下来的寄名符儿，一副束带上的帔带，两个荷包并扇套，套内有扇子，打开看时，皆是宝玉往日手内曾拿过的。王善保家的自为得了意，遂忙请凤姐过来验视，又说：『这些东西从那里来的？』（少见多怪。）凤姐笑道：『宝玉和他们从小儿在一处混了几年，这自然是宝玉的旧东西。况且这符儿合扇子，都是老太太和太太常见的，妈妈不信，咱们只管拿了去。』王家的忙笑道：『二奶奶既知道就是了。』凤姐道：『这也不是什么稀罕事，撂下再往别处去是正经。』紫鹃笑道：『直到如今，我们两下里的账也算不清，要问这一个，连我也忘了是那年月日有的了。』

这里凤姐合王善保家的又到探春院内，谁知早有人报与探春了。探春也就猜着必有原故，所以引出这等丑态来，（『这等丑态』四字，已作了结论。）遂命众丫鬟秉烛开门而待。一时众人来了，探春故问：『何事？』凤姐笑道：『因丢了一件东西，连日访察不出人来，恐怕旁人赖这些女孩子们，所以大家搜一搜，使人去疑儿，倒是洗净他们的好法子。』（凤姐角色尴尬，可怜。）探春笑道：『我们的丫头，自然都是些贼，我就是头一个窝主。既如此，先来搜我的箱柜，他们所偷了来的，都交给我藏着呢。』（探春以退为进，与晴雯『豁啷』倾箱同一路数。关键时刻，冲上第一线，潜台词是：『抄检就是污辱我，我们就面对面地干，少玩花活！』）说着，便命丫鬟们把箱一齐打开，将镜奁、妆盒、衾袱、衣包若大若小之物，一齐打开，请凤姐去抄阅。凤姐陪笑道：『我不过是奉太太的命来，妹妹别错怪了我。』（就要怪你，错也要怪你，谁让你来了？一个也不原谅。）因命丫鬟们：『快快给姑娘关上。』

平儿丰儿等先忙着替侍书等关的关，收的收。探春道：『我的东西，倒许你们搜阅；要想搜我的丫头，这却不能。我原比众人歹毒，凡丫头所有的东西，我都知道，都在我这里间收着，一针一线，他们也没得收藏。要搜，所以只来搜我。你们不依，只管去回太太，只说我违背了太太，该怎么处治，我去自领。（字字如刀割，摆出一副发狠的架势，不怕，迎头痛击。探春真好样的也！）你们别忙，自然你们抄的日子有呢！（带威胁性：你毒，我更毒。）你们今日早起不是议论甄家，自己盼着好好的抄家，果然今日真抄了。咱们也渐渐的来了。可知这样大族人家，若从外头杀来，一时是杀不死的，这可是古人说的，「百足之虫，死而不僵」，必须先从家里自杀自灭起来，才能一败涂地呢！』（至言也！字字血，声声泪，掷地有声。何人知忧？唯有探春。）说着，不觉流下泪来。

探春的策略是，既不是好来，就干脆尖锐化，以使搜检者承担一切压力与责任，打消她们要整人又要花言巧语遮掩的企图。探春这一段关于自杀自灭的言论，实为金石良言。思之深，哀之痛，愤之至，言之透辟，应该刻在石碑上以为窝里斗者戒。毕竟是有学问的人，才能有这种几乎可以称之为『政治家』的眼光。无怪乎凤姐对她有『比我知书识字，更利（厉）害一层』的正确评价。但探春一下子这样言重，仍略有突然感。此前未见她做过这样根本性的思考。很可能，这里边有曹公的见解，借探春口讲出来了。大致还可以。

凤姐只看着众媳妇们。周瑞家的便道：『既是女孩子的东西全在这里，奶奶且请到别处去罢，也让姑娘好安寝。』凤姐便起身告辞。探春道：『可细细搜明白了？若明日再来，我就不依了。』（穷追到底，不饶不依。）凤姐笑道：『既然丫头们的东西都在这里，就不必搜了。』探春冷笑道：『你果然倒乖。连我的包袱都打开了，还说没翻。明日敢说我护着丫头们，不许你们翻了。你趁早说明，若还要翻，不妨再翻一遍。』（决不客气。探春变被动为主动。）凤姐知道探春素日与众不同的，只得陪笑道：『已经连你的东西都搜察明白了。』探春又问众人：『你们也都搜明白了没有？』周瑞家的等都陪笑说：『都明白了。』

那王善保家的本是个心内没成算的人，素日虽闻探春的名，他想众人没眼色没胆量罢了，那里一个姑娘就这样利害起来；况且又是庶出，他敢怎么着。自己又仗着是邢夫人的陪房，连王夫人尚另眼相待，何况别人？只当是探春认真单恼凤姐，与他们无干，他便要趁势作脸，因越众向前，拉起探春的衣襟，故意一掀，嘻嘻的笑道：『连姑娘身上我都翻了，果然没有什么。』（作死！傻货！）凤姐见他这样，忙说：『妈妈走罢，别疯疯癫癫的。』

一语未了，只听『啪』的一声，王家的脸上早着了探春一巴掌。（物极必反。王善保家的太猖狂了，犯了规了，活该！整个《红楼梦》，腻腻歪歪，琐琐碎碎，虚虚伪伪，堪称金声玉振痛快淋漓的就是探春这一个耳光。她的话语也堪称振聋发聩，字字是真理，应该刻石树碑，永志不忘！）探春登时大怒，指着王家的问道：『你是什么东西，敢来拉扯我的衣裳！我不过看着太太的面上，你又有几岁年纪，叫你一声「妈妈」，你就狗仗人势，天天作耗，在我们跟前逞脸。如今越发了不得了，你索性望我动手动脚的了！你打量我是同你们姑娘那么好性儿，由着你们欺负，你就错了主意了！你来搜检东西我不恼，你不该拿我取笑儿！』说着，便亲自要解钮子，拉着凤姐儿细细的翻：『省得你们叫奴才来翻我。』

探春一个耳光，余音绕梁，三日不绝，三百年不绝！即使大势已去，也不能让恶人毫无忌惮。整个「红」，粘粘糊糊，纷纷乱乱，如麻如粥，此一耳光，却有英勇豪迈气概，金声玉振，大快人心！这一及时起板，大灭了小人的威风，大长了好人的志气。王善保家的之类的家伙呀，你们不注意维护一下自己的嘴巴吗？

凤姐平儿等都忙与探春理裙整袂，口内喝着王善保家的说：『妈妈吃两口酒，就疯疯癫癫起来，前儿把太太也冲撞了。快出去，别再讨脸了。』又忙劝探春：『好姑娘，别生气。他算什么，姑娘气着倒值多了。』探春冷笑道：『我但凡有气，早一头碰死了！不然，怎么许奴才来我身上搜贼赃呢。（也抓住把柄了！）明儿一早，先回过老太太、太太，再过去给大娘赔礼。该怎么着，我去领！』

那王善保家的讨了个没脸，赶忙躲出窗外，只说：『罢了，罢了！这也是头一遭挨打。我明儿回了太太，仍回老娘家去罢，这个老命还要他做什么！』探春喝命丫鬟：『你们听见他说话，还等我和他拌嘴去不成？』（有身份。身先士卒，已获大胜，下面的仗，可以由侍书之类的打了。）侍书听说，便出去说道：『妈妈，你知点好歹儿，省一句儿罢。你果然回老娘家去，倒是我们的造化了；只怕你舍不得去！你去了，叫谁讨主子的好儿，调唆着察考姑娘，折磨我们呢！』凤姐笑道：『好丫头！真是有其主必有其仆。』（凤姐此话有缓和气氛之意，也有真心称赞之心。凤姐想说说风凉话，也有解嘲的意思。）探春冷笑道：『我们做贼的人，嘴里都有三言两语的，就只不会背地里调唆主子。』（但探春不容她又抄检又风凉，故穷追不舍。）平儿忙也陪笑解劝，一面又拉了侍书进来。周瑞家的等人劝了一番，凤姐直待伏侍探春睡下，方带着人往对过暖香坞来。

彼时李纨犹病在床上，他与惜春是紧邻，又和探春相近，故顺路先到这两处。因李纨才吃了药睡着，不好惊动，只到丫鬟们房中，一一的搜了一遍，也没有什么东西，遂到惜春房中来。因惜春年少，尚未识事，吓的不知当有什么事故，凤姐少不得安慰他。谁知竟在入画箱中寻出一大包银锞子来，约共三四十个，为察奸情，反得贼赃。又有一副玉带版子，并一包男人的靴袜等物。凤姐也黄了脸，因问：『是那里来的？』入画只得跪下哭诉真情，说：『这是珍大爷赏我哥哥的。因我们老子娘都在南方，如今只跟着叔叔过日子。我叔叔婶子只要吃酒赌钱，我哥哥怕交给他们又花了，所以每常得了，悄悄的烦老妈妈带进来，叫我收着的。』

惜春胆小，见了这个，也害怕说：『我竟不知道，这还了得！二嫂子要打他，好歹带他出去打罢，我听不惯的。』凤姐笑道：『若果真呢，也倒可恕，只是不该私自传送进来。这个可以传递，怕什么不可传递。这倒是传递人的不是了。若这话不真，倘是偷来的，你可就别想活了。』（这种武断加无限延伸的逻辑，与贾母、王夫人、王善保家的都一样。）入画跪哭道：『我不敢撒谎，奶奶只管明日问我们奶奶和大爷去，若说不是赏的，就拿我和我哥哥一同打死无怨。』凤姐道：『这个自然要问的。只是真赏的，也有不是，谁许你私自传送东西的！你且说是谁接应，我就饶你。下次万万不可。』惜春道：『嫂子别饶他，这里人多，若不管了他，那些大的听见了，又不知怎么样呢。嫂子若依他，我也不依。』（惜春怯懦，所谓『洁身自好』，实为自私。表现出来竟比凤姐更苛刻，实为人性奇观！）凤姐道：『素日我看他还使得。谁没有一个错，只这一次，二次再犯，二罪俱罚。但不知传递是谁？』（传递云云，罪该万死，因为破坏了封闭管制的规矩。）惜春道：『若说传递，再无别个，必是后门上的张妈。他常和这些丫头鬼鬼祟祟的，这些丫头们也都肯照顾他。』

凤姐听说，便命人记下，将东西且交给周瑞家的暂且拿着，等明日对明再议。谁知那老张妈原和王善保家有亲，近因王善保家的在邢夫人跟前作了心腹人，便把亲戚和伴儿们都看不到眼里了。后来张家的气不平，斗了两次口，彼此都不说话了。如今王家的听见是他传递，碰在他心坎儿上，更兼刚才挨了探春的打，受了侍书的气，没处发泄，听见张家的这事，因撺掇凤姐道：『这传东西的事关系更大。想来那些东西，自然也是传递进来的，奶奶倒不可不问。』凤姐儿道：『我知道，不用你说。』（凤姐借探春的耳光之威，对王说话硬气了点。）于是别了惜春，方往迎春房内去。

迎春已经睡着了，丫鬟们也才要睡，众人扣门，半日才开。凤姐吩咐：『不必惊动姑娘。』遂往丫鬟们房里来。因司棋是王善保家的外孙女儿，凤姐要看王家的可藏私不藏私，遂留神看他搜检。先从别人箱子起，皆无别物；及到了司棋箱中，随意掏了一回，王善保家的说：『也没有什么东西。』才要关箱时，周瑞家的道：『这是什么话？有没有，总要一样看看才公道。』（你将我的军，我还将你的军呢！周瑞家的不肯放过王善保家的，这样就会竞相加码。）说着，便伸手掣出一双男子的绵袜并一双缎鞋，又有一个小包袱，打开看时，里面是一个同心如意，并一个字帖儿。一总递与凤姐，凤姐因理家常久，每每看帖看账，也颇识得几个字了。那帖是大红双喜笺，便看上面写道：

上月你来家后，父母已察觉你我之意。但姑娘未出阁，尚不能完你我之心愿。若园内可以相见，你可托张妈给一信息。若得在园内一见，倒比来家好说话。千万，千万！再所赐香珠二串，今已查收外，特寄香袋一个，略表我心。千万收好。表弟潘又安拜具。

凤姐看罢，不怒而反乐，别人并不识字。王善保家的素日并不知道他姑表姊弟有这一节风流故事，见了这鞋袜，心内已是有些毛病，又见有一红帖，凤姐看着又笑，他便说道：『必是他们写的账目不成字，所以奶奶见笑。』

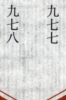

（不但压抑，而且玩弄人性人情人欲，蹂躏嘲笑，无所不至其极。）凤姐笑道：『正是这个账竟算不过来。你是司棋的老娘，他表弟也该姓王，怎么又姓潘呢？』王善保家的见问得奇怪，只得勉强告道：『司棋的姑妈给了潘家，所以他姑表弟兄姓潘。上次逃走了的潘又安，就是他。』凤姐笑道：『这就是了。』因说：『我念给你听听。』说着，从头念了一遍，（文化不高，干这事却够用。也是搬石砸己脚。）大家都吓一跳。这王家的一心只要拿人的错儿，不想反拿住了他外孙女儿，又气又臊。周瑞家的四人听见凤姐儿念了，都吐舌头，摇头儿。周瑞家的道：『王大妈听见了？这是明明白白，再没得话说了。这如今怎么样呢？』（就王家的说，活该。就司棋说，可怜。主子一斗，奴才一定遭殃。）王家的只恨无地缝儿可钻。凤姐只瞅着他，抿着嘴儿嘻嘻的笑，向周瑞家的道：『这倒也好。不用他老娘操一点心儿，鸦雀不闻，就给他们弄了个好女婿来了。』周瑞家的也笑着凑趣儿，王家的无处煞气，只好打着自己的脸骂道：『老不死的娼妇，怎么造下孽了！说嘴打嘴，现世现报。』（这样的表演，也是报应。）众人见他如此，要笑又不敢笑，也有趁愿的，也有心中感动报应不爽的。（豁出去了，有几分可敬了。）凤姐见司棋低头不语，也并无畏惧惭愧之意，倒觉可异。料此时夜深，且不必盘问，只怕他夜间自寻短志，遂唤两个婆子监守，且带了人，拿了赃证，回来歇息，等待明日料理。

谁知夜里下面淋血不止，次日便觉身体十分软弱起来，遂掌不住，（凤姐还是深为震动、窝气。）请医诊视，开方立案，说要保重而去。老嬷嬷们拿了方子，回过王夫人，不免又添一番愁闷，遂将司棋之事暂且搁起。

抄检事件，没有胜利者。王夫人没有达到查出绣春囊及加强道德秩序的目的，而只是添了乱。凤姐大为丢人。邢夫人将了军，又得到了什么呢？王善保家的自取其辱。大观园吟诗作乐的气氛没有了，笼罩着的是猜疑、专横、恐惧。这是「红」的最大事件。实是前八十回的终结，底下几回是余波。

可巧这日尤氏来看凤姐，坐了一回，又看李纨等。忽见惜春遣人来请，尤氏到他房中，惜春便将昨夜之事细细告诉了，又命人将入画的东西一概要来与尤氏过目。尤氏道：『实是你哥哥赏他哥哥的，只不该私自传送，如今官盐反成了私盐了。』因骂入画：『糊涂东西！』惜春道：『你们管教不严，反骂丫头。这些姊妹，独我的丫头没脸，我如何去见人。昨儿叫凤姐姐带了他去，又不肯。今日嫂子来的恰好，快带了他去。或打，或杀，或卖，我一概不管。』（惜春冷酷，不通人性，几近变态。）入画听说，跪地哀求，百般苦告。尤氏和奶妈等人也都十分解说：『他不过一时糊涂，下次再不敢的。看他从小儿伏侍一场。』

谁知惜春年幼，天性孤僻，任人怎说，只是咬定牙，断乎不肯留着。（孤僻也可成为变态。）更又说道：『不但不要入画，如今我也大了，连我也不便往你们那边去了。况且近日闻得多少议论，我若再去，连我也编派。』尤氏道：『谁敢议论什么？又有什么可议论的！姑娘是谁，我们是谁。姑娘既听见人议论我们，就该问着他才是。』惜春冷笑道：『你这话问着我倒好。我一个姑娘家，只好躲是非的，我反寻是非，成个什么人了！况且古人说得好，「善恶生死，父子不能有所勖助」，何况你我二人之间。我只能保住自己就够了。以后你们有事，好歹别累我。』

尤氏听了，又气又好笑，因向地下众人道：『怪道人人都说四姑娘年轻糊涂，我只不信。你们听这些话，无原无故，又没轻重，真真的叫人寒心。』众人都劝说道：『姑娘年轻，奶奶自然该吃些亏的。』惜春冷笑道：『我虽年轻，这话却不年轻。你们不看书，不识字，所以都是呆子，倒说我糊涂。』尤氏道：『你是状元，第一个才子。我们糊涂人，不如你明白！』惜春道：『据你这话就不明白，状元难道没有糊涂的？可知你们这些人都是世俗之见，那里眼里识得出真假，心里分得出好歹来？你们要看真人，总在最初一步的心上看起，才能明白呢！』尤氏笑道：『好！才是才子，这会子又做大和尚，又讲起参悟来了。』惜春道：『我也不是什么参悟。我看如今人一概也都是入画一般，没有什么大说头儿。』（入画事引起姑嫂之争，也只是个由头而已。）尤氏道：『可知你真是个心冷嘴冷的人。』惜春道：『怎么我不冷？我清清白白的一个人，为什么叫你们带累坏了！』（惜春这些话，也带有变态性质。可能她受过一些刺激，目睹过一些她无法接受的事。惜春的不近人情的表现，也可理解为对抄检这一凶险举动的变态的反应、变态的抗议。）

尤氏心内原有病，怕说这些话。听说有人议论，已是心中羞恼，只是今日惜春分中，不好发作，忍耐了大半天。今见惜春又说这话，因按捺不住，便问道：『怎么就带累了你？你的丫头的不是，无故说我；我倒忍了这半日，你倒越发得了意，只管说这些话。你是千金小姐，我们以后就不亲近你，仔细带累了小姐的美名儿。即刻就叫人将入画带了过去！』说着，便赌气起身去了。惜春道：『你这一去了，若果然不来，倒也省了口舌是非，大家倒还干净。』（说冷，就益发冷得出奇。在奸、谗、抄、闹、打（耳光）之后，宜有惜春之冷，冷后则宜悲也。）尤氏也不答应，一径往前边去了。未知后事如何，下回分解。

水至清则无鱼，人至察则无徒。以惜春的冷嘴冷心为此回作结，最为恰当。也可以视为写完抄检一回后，曹公借惜春之口表达他的厌恶绝望心情，通过这一两回，把王夫人、三个春酣畅饱满地写了一回。宝、黛、钗等反退入后场去了。

因与果并不衔接，事与愿全无关联，稀里糊涂，杀气腾腾，开始了并初步完成了对于大观园的青春大剿杀。除美务尽，灭情必狠，偶然的，必然的，吃挂落（牵连）的，混乱而又血腥。探春说得好，这叫自杀自灭！

第七十五回 开夜宴异兆发悲音 赏中秋新词得佳谶

话说尤氏从惜春处赌气出来，正欲往王夫人处去，跟从的老嬷嬷们因悄悄的道：『回奶奶，且别往上房去。才有甄家的几个人来，还有些东西，不知是做什么机密事。奶奶这一去，恐怕不便。』尤氏听了道：『昨日听见你老爷说，看见抄报上，甄家犯了罪，现今抄没家私，调取进京治罪。怎么又有人来？』老嬷嬷道：『正是呢。才来了几个女人，气色不成气色，慌慌张张的，想必有甚么瞒人的事。』（抄检大观园是贾府终被查抄的预演。查抄事大，又通过甄家的被抄再预报一次。本来，甄家就是贾家的镜中映像。甄贾互为虚像。）

尤氏听了，便不往前去，仍往李纨这边来了。恰好太医才诊了脉去。李纨近日也觉精爽了些，拥衾倚枕，坐在床上，正欲人来说些闲话。因见尤氏进来，不似方才和蔼，只呆呆的坐着，（余波，晦气。）李纨因问道：『你过来了，可吃些东西？只怕饿了。』命素云：『瞧有什么新鲜点心拿来。』尤氏忙止道：『不必，不必。你这一向病着，那里有什么新鲜东西。况且我也不饿。』李纨道：『昨日人家送来的好茶面子，倒是对碗来你喝罢。』说毕，便吩咐去对茶。

尤氏出神无语。跟来的丫头媳妇们因问：『奶奶今日中晌尚未洗脸，这会子趁便可净一净好？』尤氏点头。

李纨忙命素云来取自己妆奁。素云又将自己脂粉拿来，笑道：『我们奶奶就少这个。奶奶不嫌腌臜，能着用些。』李纨道：『我虽没有，你就该往姑娘们那里取去，怎么公然拿出你的来？幸而是他，若是别人，岂不恼呢？』尤氏笑道：『这有何妨。』说着，一面洗脸。丫头只弯腰捧着脸盆。李纨道：『怎么这样没规矩？』那丫头赶着跪下。（跪式服务，『红』已有之，外礼外体，内乱内糟。）尤氏笑道：『我们家下大小的人，只会讲外面假礼假体面，究竟做出来的事都够使的了。』李纨听如此说，便知他已知道昨夜的事，因笑道：『你这话有因。谁做事究竟够使的了？』尤氏道：『你倒问我！你敢是病着死过去了？』

一语未了，只见人报：『宝姑娘来。』二人忙说『快请』时，宝钗已走进来。尤氏忙擦脸起身让坐，因问：『怎么一个人忽然走进来，别的姊妹都不见？』（尤氏、宝钗，都处于抄检之外，但无不受到影响。）宝钗道：『正是，我也没有见他们。只因今日我们奶奶身上不自在，家里两个女人也都因时症未起炕，别的靠不得，我今儿要出去陪着老人家夜里作伴。（三十六计走为上。）要去回老太太、太太，我想又不是什么大事，且不用提，等好了，我横竖进来的，所以来告诉大嫂子一声。』李纨听说，只看着尤氏笑，尤氏也看着李纨笑。（苦笑而已。）

一时，尤氏盥洗已毕，大家吃面茶。李纨因笑着向宝钗道：『既这样，且打发人去请姨娘的安，问是何病。我也病着，不能亲自来的。好妹妹，你去只管去，我且打发人去到你那里去看屋子。你好歹住一两天还进来，别叫我落不是。』（一个好好的大观园，经抄检后变成了险地、泥淖、是非之地。）宝钗笑道：『落什么不是呢？也是人之常情，你又不曾卖放了贼。依我的主意，也不必添人过去，竟把云丫头请了来，你和他住一两日，岂不省事。』尤氏道：『可是史大妹妹往那里去了？』宝钗道：『我才打发他们找你们探丫头去了，叫他同到这里来，我也明白告诉他。』

正说着，果然报：『云姑娘和三姑娘来了。』大家让坐已毕，宝钗便说要出去一事。探春道：『很好。不但姨妈好了还来，就便好了不来也使得。』尤氏笑道：『这话奇怪！怎么撵起亲戚来了？』探春冷笑道：『正是呢，有别人撵的，不如我先撵。（沉痛，也是抗议。）亲戚们好，也不在必要死住着才好。咱们倒是一家子亲骨肉呢，一个个不像乌眼鸡似的？恨不得你吃了我，我吃了你！』（不知林彪名言『不是你吃掉我就是我吃掉你』是否受了这一段的启发。）尤氏忙笑道：『我今儿是那里来的晦气，偏都碰着你姊妹们气头上了。』探春道：『谁叫你趁热灶火来了！』因问：『谁又得罪了你呢？』因又寻思道：『凤丫头也不犯合你怄气，却是谁呢？』尤氏只含糊答应。

探春知他畏事，不肯多言，因笑道：『你别装老实了。除了朝廷治罪，没有砍头的，你不必唬的这个样儿。告诉你罢，我昨日把王善保家那老婆子打了，我还顶着罪呢。也不过背地里说我些闲话，难道也还打我一顿不成！』（这话有种，说得透。如果横下一条心，连砍头都不怕呢！）宝钗忙问：『因何又打他？』探春悉把昨夜的事一一都说了出来。尤氏见探春已经说了出来，便把惜春方才的事也说了出来。探春道：『这是他向来的脾气，孤介太过，我们再扭不过他的。』（孤介也没治。）又告诉他们说：『今日一早不见动静，打听了凤丫头病着，就打发人四下打听王善保家的是怎样。回来告诉我说：「王善保家的挨了一顿打，嗔着他多事。」』尤氏李纨道：『这倒也是正礼。』探春冷笑道：『这种遮人眼目儿的事，谁不会做？且再瞧就是了。』（探春矛头指向凤姐，是对凤的苦衷理解不够。这二位强人矛盾，更加不祥。）尤氏李纨皆默无所答。一时，丫头们来请用饭，湘云宝钗回房打点衣衫，不在话下。

抄检后情况如何？也是陌生化的办法，通过尤氏的眼光写。从对抄检的追身写，到尤氏的拉开距离写，亦可算作镜头的变化与焦距的变化。

尤氏辞了李纨，往贾母这边来。贾母歪在榻上，王夫人正说甄家因何获罪，如今抄没了家产，来京治罪等话。贾母听了，心中甚不自在。（免死狐悲。）恰好见他姊妹来了，因问：『从那里来的？可知凤姐儿妯娌两个病着，今日怎么样？』尤氏等忙回道：『今日都好些。』贾母点头叹道：『咱们别管人家的事，且商量咱们八月十五赏月是正经。』（装聋作哑，以歪就歪，开始令人反感了。哪里是人家的事？里院起火了。）王夫人笑道：『已预备下了，不知老太太拣那里好？只是园里恐夜晚风凉。』（『园里……夜晚风凉』，此语可视为双关。天然双关，比语带机关更妙。）贾母笑道：『多穿两件衣服何妨，那里正是赏月的地方，岂可倒不去的。』

说话之间，媳妇们抬过饭桌，王夫人尤氏等忙上来放箸捧饭。贾母见自己几色菜已摆完，另有两大捧盒内，盛了几色菜，便是各房孝敬的旧规矩。贾母说：『我吩咐过几次，蠲了罢，都不听，也只罢了。』王夫人笑道：『不过都是家常东西。今日我吃斋，没有别的。那些面筋豆腐，老太太又不甚爱吃，只拣了一样椒油莼齑酱来。』贾母笑道：『我倒也想这个吃。』鸳鸯听说，便将碟子挪在跟前。宝琴一一的让了，方归坐。贾母便命探春来同吃，探春也都让过了，便和宝琴对面坐下。侍书忙去取了碗箸。鸳鸯又指那几样菜道：『这两样看不出是什么东西来，是大老爷孝敬的。这一碗是鸡髓笋，是外头老爷送上来的。』（一方面都尽礼尽力地孝，一方面却又各怀鬼胎。吃饭饮酒时亦不例外——见下。）一面说，一面就将这碗笋送至桌上。贾母略尝了两点，便命：『将那几样着人都送回去，就说我吃了。以后不必天天送，我想吃什么，自然着人来要。』媳妇们答应着仍送过去，不在话下。

贾母因问：『拿稀饭来吃些罢。』尤氏早捧过一碗来，说是红稻米粥。贾母接来吃了半碗，便吩咐：『将这粥送给凤姐儿吃去。』（仍然是宠幸有加。）又指着这一盘果子：『独给平儿吃去。』又向尤氏道：『我吃了，你就来吃了罢。』尤氏答应着，待贾母漱口洗手毕，贾母便下地，和王夫人说闲话行食。尤氏告坐吃饭。贾母又命鸳鸯等来陪吃。贾母见尤氏吃的仍是白米饭，因问说：『怎么不盛我的饭？』丫头们回道：『老太太的饭完了。今日添了一位姑娘，所以短了些。』鸳鸯道：『如今都是「可着头做帽子」了，要一点儿富余也不能的。』王夫人忙回道：『这一二年旱涝不定，庄上的米都不能按数交的。这几样细米更艰难，所以都是可着吃的做。』（艰窘之状。）贾母笑道：『正是「巧媳妇做不出没米儿粥来」。』（俗语『巧妇难为无米之炊』，这里以粥代炊，说明了粥的重要。）众人都笑起来。鸳鸯一面回头向门外伺候媳妇们道：『既这样，你们就去把三姑娘的饭拿来添上，也是一样。』尤氏笑道：『我这个就够了，也不用去取。』鸳鸯道：『你够了，我不会吃的？』媳妇们听说，方忙着取去了。

一时，王夫人也去用饭。这里尤氏直陪贾母说话取笑到起更的时候，贾母说：『你也过去罢。』尤氏方告辞出来。走至二门外，上了车，众媳妇放下帘子来，四个小厮拉出来，套上牲口，几个媳妇带着小丫头子们先走，到那边大门口等着去了。这里送的丫鬟们也回来了。

尤氏在车内，因见自己门首两边狮子下，放着四五辆大车，便知系来赴赌之人，向小丫头银蝶儿道：『你看，坐车的是这些，骑马的又不知有几个呢！』说着进府，已到了厅上。贾蓉媳妇带了丫鬟媳妇，也都秉着羊角手罩接了出来。尤氏笑道：『成日家我要偷着瞧瞧他们赌钱，也没得便，今日倒巧，顺便打他们窗户跟前走过去。』众媳妇答应着，提灯引路。又有一个先去悄悄的知会伏侍的小厮们，不许失惊打怪。于是尤氏一行人悄悄的来至窗下，只听里面称三赞四，要笑之音虽多，又兼有恨五骂六，忿怨之声亦不少。（你整顿你的，我烂我的。）

原来贾珍近因居丧，不得游玩，无聊之极，便生了个破闷的法子。日间以习射为由，请了几位世家弟兄及诸富贵亲友来较射，因说：『白白的只管乱射终是无益，不但不能长进，且坏了式样，必须立了罚约，赌个利物，大家才有勉力之心。』因此，天香楼下箭道内立了鹄子，皆约定每日早饭后时射鹄子。贾珍不好出名，便命贾蓉做局家。这些都是少年，正是斗鸡走狗、问柳评花的一干游侠纨裤。因此，大家议定，每日轮流做晚饭之主，天天宰猪割羊，屠鹅杀鸭，好似『临潼斗宝』的一般，都要卖弄自己家里的好厨役，好烹调。

不到半月工夫，贾政等听见这般，不知就里，反说：『这才是正理，文既误了，武也当习，况在武荫之属。』（错就错，迂更迂，贾政这种教条主义者确是百分之百的白痴，自我感觉良好的白痴。本是体育竞技，也会变质，这是『酱缸文化』的厉害。）遂也令宝玉、贾环、贾琮、贾兰等四人，于饭后过来，跟着贾珍习射一回，方许回去。贾珍志不在此，再过几日，便渐次以歇肩养力为由，晚间或抹骨牌，赌个酒东儿，至后渐次至钱。如今三四个月的光景，竟一日一日赌胜于射了，公然斗叶掷骰，放头开局，大赌起来。家下人借此各有些利益，巴不得如此，所以竟成了局势。外人皆不知一字。近日邢夫人的胞弟邢德全也酷好如此，所以也在其中；又有薛蟠，头一个惯喜送钱与人的，见此岂不快乐。这邢德全虽系邢夫人的胞弟，却居心行事，大不相同。他只知吃酒赌钱，眠花宿柳为乐，手中滥漫使钱，待人无心，因此，都叫他『傻大舅』。（傻大姐完了又出来傻大舅。回忆傻大姐的突然出现与随之而来的暴风雨，令人觉得那像是一个女巫。傻大舅呢？）薛蟠更是早已出名的『呆大爷』。今日二人凑在一处，都爱抢快，便又会了两家，在外间炕上抢快。又有几个在当地下大桌子上赶羊。里间又有一起斯文些的抹骨牌，打天九。此间伏侍的小厮都是十五岁以下的孩子。此是前话。

且说尤氏潜至窗外偷看，其中有两个陪酒的小么儿，都打扮得粉妆锦饰。今日薛蟠又掷输了，正没好气，幸而后手里渐渐翻过来了。除了冲账的，反赢了好些，心中自是兴头起来。贾珍道：『且打住，吃了东西再来。』因问：『那两处怎么样。』里头打天九赶老羊的未清，先摆下一桌，贾珍陪着吃。薛蟠兴头了，便搂着一个小么儿喝酒，又命将酒去敬傻大舅。傻大舅输家，没心肠，喝了两碗，便有些醉意，嗔着陪酒的小么儿只赶赢家不理输家了，因骂道：『你们这起兔子，真是些没良心的忘八羔子！天天在一处，谁的恩你们不沾？只不过这会子输了几两银子，你们就这么三六九等儿的了。难道从此以后再没有求着我的事了？』众人见他带酒，那些输家不便言语，只抿着嘴儿笑。那些赢家忙说：『大舅骂的很是。这小狗攮的们都是这个风俗儿。』因笑道：『还不给舅太爷斟酒呢！』两个小孩子都是演就的圈套，忙都跪下奉酒，扶着傻大舅的腿，一面撒娇儿说道：『你老人家别生气，看着我们两个小孩子罢。我们师父教的，不论远近厚薄，只看一时有钱的就亲近。你老人家不信，回来大大的下一注，赢了，白瞧瞧我们两个是什么光景儿。』说的众人都笑了。（『红』也算『能上能下』，从怡红院、潇湘馆写到这样的阴暗腐烂角落。写什么像什么。）这傻大舅掌不住也笑了，一面伸手接过酒来，一面说道：『我要不看着你们两个素日怪可怜见儿的，我这一脚把你们两个的小蛋黄子踢出来。』说着，把腿一抬。两个孩子趁势儿爬起来，越发撒娇撒痴，拿着洒花绢子，托了傻大舅的手，把那钟酒灌在傻大舅嘴里。傻大舅哈哈的笑着，一扬脖儿，把一钟酒都干了，因拧了那孩子的脸一下儿，笑说道：『我这会子看着又怪心疼的了！』（恶俗至此。小说百无禁忌。）说着，忽然想起旧事来，乃拍案对贾珍说道：『昨日我和你令伯母怄气，你可知道么？』贾珍道：『不曾听见。』邢大舅叹道：『就为钱这件东西！老贤甥，你不知我们邢家的底里。我们老太太去世时，我还小呢，世事不知。他姊妹三个人，只有你令伯母居长。他出阁时，把家私都带了过来了。如今你二姨儿也出了阁了，他家里也很艰窘。你三姨儿尚在家里。一应用度，都是这里陪房王善保家的掌管。我就是来要几个钱，也并不是要贾府里的家私，我邢家的家私也就够我花了。无奈竟不得到手，你们就欺负我没钱！』（各有狗扯羊肠子的纠葛。果然个个乌眼鸡般，个个愤愤不平。）贾珍见他酒醉，外人听见不雅，忙用话解劝。

外面尤氏等听得十分真切，乃悄向银蝶儿等笑说：『你听见了，这是北院里大太太的兄弟抱怨他呢。可见他亲兄弟还是这样，就怨不得这些人了。』因还要听时，正值赶老羊的那些人也歇住了，要酒。有一个人问道：『方才是谁得罪了舅太爷？我们竟没听明白。且告诉我们，评评理。』邢德全便把两个陪酒的孩子不理的话说了一遍。那人接过来就说：『可恼！怨不得舅太爷生气。我问你，舅太爷不过输了几个钱罢咧，并没有输掉了鸡巴，怎么你们就不理他了？』说着，大家都笑起来。邢德全也喷了一地饭，说：『你这个东西，行不动儿就撒村捣怪的！』尤氏在外面听了这话，悄悄的啐了一口，骂道：『你听听，这一起没廉耻的小挨刀的！再灌丧了黄汤，还不知嚼出些什么新样儿的来呢。』（其实尤氏听窗户根，不听到这里是不算完的。打四书两句：『在亲民，在止于至善。』尤氏得到了某种心理满足。尤氏听窗根儿，目的就在听听这样的话吧？）一面便进去卸妆安歇。至四更时，贾珍方散，往佩凤房里去了。

次日起来，就有人回：『西瓜月饼都全了，只待分派送人。』贾珍吩咐佩凤道：『你请奶奶看着送罢，我还有别的事呢。』佩凤答应去了，回了尤氏，一一分派，遣人送去。一时，佩凤来说：『爷问奶奶今儿出门不出门？说咱们是孝家，十五过不得节；今儿晚上倒好，可以大家应个景儿。』尤氏道：『我倒不愿意出门呢。那边珠大奶奶又病了，琏二奶奶也躺下了，我再不去，越发没个人了。』（零落之势已有。）佩凤道：『爷说，奶奶出门，好歹早些回来，叫我跟了奶奶去呢。』尤氏道：『既这么样，快些吃了，我好走。』佩凤道：『爷说早饭在外头吃，请奶奶自己吃罢。』尤氏问道：『今日外头有谁？』佩凤道：『听见外头有两个南京新来的，倒不知是谁。』说毕，吃饭更衣，尤氏等仍过荣府来，至晚方回去。

果然贾珍煮了一口猪，烧了一腔羊，备了一桌菜蔬果品，在汇芳园丛绿堂中，带领妻子姬妾，先吃过晚饭，然后摆上酒，开怀作乐赏月。将一更时分，真是风清月朗，银河微隐。贾珍因命佩凤等四个人也都入席，下面一溜坐下，猜枚搳拳。饮了一回，贾珍有了几分酒，高兴起来，便命取了一支紫竹箫来，命佩凤吹箫，文花唱曲，喉清韵雅，甚令人魄散魂消。（把这些写在中秋赏月过程中，盖时至中秋，月虽明而岁将寒，本来已有几分凄清也。）唱罢，复又行令。那天将有三更时分，贾珍酒已八分，大家正添衣喝茶、换盏更酌之际，忽听那边墙下有人长叹之声。大家明明听见，都毛发竦然。贾珍忙厉声叱问：『谁在那边？』连问几声，无人答应。（连问几声，无人答应，描写简单而引人入『境』。）尤氏道：『必是墙外边家里人，也未可知。』贾珍道：『胡说！这墙四面皆无下人的房子，况且那边又紧靠着祠堂，焉得有人。』

一语未了，只听得一阵风声，竟过墙去了。恍惚闻得祠堂内槅扇开阖之声，只觉得风气森森，比先更觉凄惨起来。看那月色时，也淡淡的，不似先前明朗，众人都觉毛发倒竖。（这个描写很像电影镜头。或问，有神论乎？无神论乎？曰：敬神如神在，畏鬼如鬼在。信什么有什么，怕什么来什么。颓势已成，病入膏肓，焉能无神鬼之惊？）贾珍酒已吓醒了一半，只比别人掌得住些，心里也十分警畏，便大没兴头。勉强又坐了一会，也就归房安歇去了。次日一早起来，乃是十五日，带领众子侄开祠行朔望之礼。细察祠内，都仍是照旧好好的，并无怪异之迹。贾珍自为醉后自怪，也不提此事。礼毕，仍旧闭上门，看着锁禁起来。

贾珍夫妻至晚饭后，方过荣府来。只见贾赦贾政都在贾母房里坐着说闲话儿，与贾母取笑呢。贾琏、宝玉、贾环、贾兰皆在地下侍立。贾珍来了，都一一见过，说了两句话，贾母方在挨门小杌子上告了坐，侧着身子坐下。贾母笑问道：『这两日，你宝兄弟的箭如何了？』贾珍忙起身笑道：『大长进了，不但式样好，而且弓也长了一个劲。』贾母道：『这也够了，且别贪力，仔细努伤着。』（一切建立在瞒和骗上。）贾珍忙答应了几个『是』。贾母又道：『你昨日送来的月饼好，西瓜看着倒好，打开却也罢了。』贾珍答应：『月饼是新来的一个专做点心的厨子，我试了试，果然好，才敢做了孝敬来的。西瓜往年都还可以，不知今年怎么就不好了。』贾政道：『大约今年雨水太勤之过。』（贾政居然知道雨水勤伤瓜，失敬了。）贾母笑道：『此时月亮已上来了，咱们且去上香。』说着，便起身扶着宝玉的肩，带领众人，齐往园中来。

当下园子正门俱已大开，挂着羊角灯。嘉荫堂月台上，焚着斗香，秉着烛，陈设着瓜果月饼等物。邢夫人等皆在里面久候。真是月明灯彩，人气香烟，晶艳氤氲，不可形状。地下铺着拜毡锦褥。（真是，祸到临头了，还富贵尊荣呢。）贾母盥手上香，拜毕，于是大家皆拜过。贾母便说：『赏月在山上最好。』因命在那山上的大花厅上去。众人听说，就忙着在那里铺设，贾母且在嘉荫堂中吃茶少歇，说些闲话。（这就是『红』的蒙太奇，『红』的衔接结构妙术。赏月一节与抄检一事无逻辑因果关系，不搭界。但连在一起写，中间有一种形而上的、让我们姑且称为『小说感』的紧密连结。抄检太凶了，大凶之后，必有异兆。）

一时，人回：『都齐备了。』贾母方扶着人上山来。王夫人等因回说：『恐石上苔滑，还是坐竹椅上去。』贾母道：『天天打扫，况且极平稳的宽路，何必不疏散疏散筋骨。』于是贾赦贾政等在前引导，又有两个老婆子秉着两把羊角手罩，鸳鸯、琥珀、尤氏等贴身搀扶，邢夫人等在后围随，从下逶迤不过百余步，到了主山峰脊上，便是这座敞厅。因在山之高脊，故名曰凸碧山庄。厅前平台上列下桌椅，又用一架大围屏隔做两间。凡桌椅形式皆是圆的，特取团圆之意。（表面团圆，实际四分五裂。）上面居中，贾母坐下，左边贾赦、贾珍、贾琏、贾蓉，右边贾政、宝玉、贾环、贾兰，团团围坐，只坐了半桌，下面还有半桌余空。贾母笑道：『常日倒还不觉人少，今日

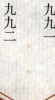

今日又这样，太少了，如今叫女孩儿们来坐那边罢。』于是令人向围屏后邢夫人等席上将迎春、探春、惜春三个请过来。贾琏宝玉等一齐出坐，先尽他姊妹坐了，然后在下依次坐定。

贾母便命折一枝桂花来，命一媳妇在屏后击鼓传花，若花在手中，饮酒一杯，罚说笑话一个。于是先从贾母起，次贾赦，一一接过。鼓声两转，恰恰在贾政手中住了，只得饮了酒。众姊妹弟兄都你悄悄的扯我一下，我暗暗的又捏你一把，都含笑心里想着，倒要听是何笑话儿。

贾政见贾母欢喜，只得承欢。方欲说时，贾母又笑道：『若说得不笑了，还要罚。』贾政笑道：『只得一个，若不说笑了，也只好愿罚。』贾母道：『你就说这一个。』贾政因说道：『一家子一个人，最怕老婆。』（『红》中虽有刁妇形象，却无怕老婆的男人形象。贾琏对凤，也不是那种怕法。只是在贾政的笑话中，怕老婆云云，比较通俗有趣。）只说了这一句，大家都笑了。因从没听见贾政说过，所以才笑。贾母笑道：『这必是好的。』贾政笑道：『若好，老太太先多吃一杯。』贾母笑道：『使得。』贾赦连忙捧杯，贾政执壶，斟了一杯。贾赦仍旧递给贾政，贾赦旁边侍立。贾政捧上，安放在贾母面前，贾母饮了一口。贾赦贾政退回本位。于是贾政又说道：『这个怕老婆的人，从不敢多走一步。偏是那日是八月十五，到街上买东西，便见了几个朋友，死活拉到家里去吃酒。不想吃醉了，便在朋友家睡着。第二日醒了，后悔不及，只得来家赔罪。他老婆正洗脚，说：「既是这样，你替我舔舔就饶你。」这男人只得给他舔，未免恶心要吐。他老婆便恼了，要打，说：「你这样轻狂！」吓得他男人忙跪下求，说：「并不是奶奶的脚腌臜，只因昨儿喝多了黄酒，又吃了月饼馅子，所以今日有些作酸呢。」』（令人觉得贾母的水平如此，贾政俯就。联系月饼，有点即景生情之意。）说得贾母和众人都笑了。贾政忙又斟了一杯送与贾母。贾母笑道：『既这样，快叫人取烧酒来，别叫你们有媳妇的人受累。』众人又都笑起来。

中国民间盛行怕老婆故事，连贾政也能讲能记。一、这种现象及这种故事，恰是对男权中心的一种反动。也可以说，绝对的男权中心道德，是对事实上（特别在庶民中间）怕老婆风气的一种恐惧。二、很可能是上层男权中心，下层连娶老婆都难，易怕。三、这种故事是一种变相的『荤故事』，也是性压抑的产物。

于是又击鼓，便从贾政传起，可巧传到宝玉手中鼓止。宝玉因贾政在坐，早已踧踖不安，偏又在他手中，因想：『说笑话，倘或说不好了，又说没口才；若说好了，又说正经的不会，只惯贫嘴，更有不是，不如不说好。』乃起身辞道：『我不能说笑话，求限别的罢。』贾政道：『既这样，限一个「秋」字，就即景做一首诗。好便赏你；若不好，明日仔细。』贾母忙道：『好好的行令，如何又做诗？』贾政陪笑道：『他能的。』贾母听说：『既这样，就做，快命人取纸笔来。』贾政道：『只不许用这些「水」「晶」「冰」「玉」「银」「彩」「光」「明」「素」等堆砌字样。要另出主见，试试你这几年情思。』宝玉听了，碰在心坎儿上，遂立想了四句，向纸上写了，呈与贾政看。贾政看了，点头不语。贾母见这般，知无甚不好，便问：『怎么样？』贾政因欲贾母喜欢，便说：『难为他。只是不肯念书，到底词句不雅。』贾母道：『这就罢了。就该奖励，以后越发上心了。』贾政道：『正是。』因回头命个老嬷嬷出去，『吩咐小厮们，把我海南带来的扇子取来给两把与宝玉。』（今日贾政多有『突破』，说村俗笑话是一，赏赐宝玉是二。）宝玉磕了一个头，仍复归坐行令。当下贾兰见奖励宝玉，他便出席，也做一首，呈与贾政看。

贾政看了，喜不自胜。遂并讲与贾母听时，贾母也十分欢喜，也忙令贾政赏他。

于是大家归坐，复行起令来。这次贾赦手内住了，只得吃了酒，说笑话，因说道：『一家子一个儿子，最孝顺，偏生母亲病了，各处求医不得，便请了一个针灸的婆子来。这婆子原不知道脉理，只说是心火，一针就好了。这儿子慌了，便问：「心见铁就死，如何针得？」婆子道：「不用针心，只针肋条就是了。」儿子道：「肋条离心远着呢，怎么就好了呢？」婆子道：「不妨事。你不知天下作父母的偏心的多着呢！」』（有心无心，无心有心，偏心平心，平心偏心。这里并无多少道理多少笑话可讲。）众人听说，都笑起来。贾母也只得吃半杯酒，半日笑道：『我也得这婆子针一针就好了。』贾赦听说，自知出言冒撞，贾母疑心，忙起身笑与贾母把盏，以别言解释。

贾母亦不好再提，且行令，不料这花却在贾环手里。贾环近日读书稍进，亦好外务。今见宝玉做诗受奖，他便技痒，只当着贾政，不敢造次。如今可巧花在手中，便也索纸笔来，立就一绝，呈与贾政。贾政看了，亦觉罕异，只见词句中终带着不乐读书之意，遂不悦道：『可见是弟兄了。发言吐意，总属邪派。古人中有「二难」，你两个也可以称「二难」了。就只不是那一个「难」字，却是做「难以教训」「难」字讲才好。哥哥是公然温飞卿自居，如今兄弟又自为曹唐再世了。』（难兄难弟。）说得众人都笑了。贾赦道：『拿诗来我瞧。』便连声赞好，道：『这诗据我看，甚是有气骨。想来咱们这样人家，原不必寒窗萤火，只要读些书，比人略明白些，可以做得官时，就跑不了一个官儿的。何必多费了工夫，反弄出书呆子来。（贾赦的见解亦有理。也算『读多了书无用』论吧。）所以我爱他这诗，竟不失咱们侯门的气概。』因回头吩咐人去取自己的许多玩物来赏赐与他，因又拍着贾环的脑袋笑道：

『以后就这样做去，这世袭的前程就跑不了你袭了。』（在野派向着在野派。）

贾政听说，忙劝说：『不过他胡诌如此，那里就论到后事了。』说着，便斟了酒，又行了一回令。（写赋诗与别人对诗的评论，却不写诗本身。可见，一个做诗也有无穷无尽的写法。）贾母便说：『你们去罢。自然外头还有相公们候着，也不可轻忽了他们。况且二更多了，你们散了，再让姑娘们多乐一回子，好歇着了。』贾政等听了，方止令起身。大家公进了一杯酒，才带着子侄们出去了。要知端的，下回分解。

疾风暴雨之后，闲谈赏月之中，已无升平祥和气氛。伤口已经裂开，难以愈合矣。此回及以下数回，皆可做抄检之袅袅余音来读。

月夜饮酒赏月，忽听墙下有人长叹，连问几声，无人回答，这样的描写忧愤凄清。鬼狐妖仙，是神来之笔，读之冷彻骨髓。